D0305477

Mark Walden

H·I·V·E·

Hoger Instituut Voor Eersteklas Schurken

GOTTMER · HAARLEM

Kijk voor meer informatie over de kinder- en jeugdboeken van de Gottmer Uitgevers Groep op **www.gottmer.nl**

Bezoek ook de website **www.hivesboek.nl**

© 2006 Mark Walden

Oorspronkelijke titel: *H.I.V.E.: Higher Institute of Villainous Education*

Oorspronkelijke uitgever: Bloomsbury Publishing Plc, Londen

Voor het Nederlandse taalgebied:

© 2009 Uitgeverij J.H. Gottmer / H.J.W. Becht bv,

Postbus 317, 2000 AH Haarlem (e-mail: post@gottmer.nl)

Uitgeverij J.H. Gottmer / H.J.W. Becht bv is onderdeel van de Gottmer Uitgevers Groep bv

Vertaling: Maria Postema

Omslagontwerp: Arnoldo Mondadori Editore S.p.A., Milaan

Omslagillustratie: Iacopo Bruno

Vormgeving: Atelier van Wageningen, Amsterdam

Druk en afwerking: Drukkerij Bariet, Ruinen

ISBN 978 90 257 4505 9

NUR 283

Voor Sarah, voor Megan, voor altijd

Hoofdstuk 1

Otto werd met een schok wakker toen de grond onder zijn voeten leek te kantelen. Hij deed zijn ogen open, kneep ze tot spleetjes tegen het felle licht en zag tot zijn stomme verbazing op slechts een paar meter onder hem het zeeoppervlak voorbijrazen. Het duurde even voor hij besefte dat hij door het zijraampje van een of ander luchtvaartuig keek. Een helikopter, naar het gedempte, maar constante gedreun van rotorbladen te oordelen dat hij boven zich hoorde.

'Waar ben ik?' fluisterde Otto tegen zichzelf terwijl hij naar de uitgestrekte watermassa staarde.

'Een bijzonder goede vraag.' Otto schrok van de afgemeten stem en hij draaide zich om naar de lange Aziatische jongen die al die tijd zwijgend in de stoel naast hem had gezeten. 'Een die naar ik hoop binnen afzienbare tijd beantwoord zal worden.' Hij keek Otto met een kalme blik aan. 'Misschien dat jij wat licht kunt werpen op onze huidige situatie?' vroeg hij – blijkbaar praatte hij altijd zo deftig.

Zijn stem klonk emotieloos, hooguit een beetje nieuwsgierig. Hij leek een stuk langer dan Otto en zijn lange donkere haar zat in een nette paardenstaart: een opvallend verschil met Otto's korte haar, dat al sinds zijn geboorte spierwit was. De jongen droeg een wijde linnen blouse en broek en zwarte zijden sloffen. Otto had nog steeds de trui, spijkerbroek en gympen aan die hij voor zover hij zich kon herinneren als laatste had aangetrokken.

'Helaas,' zei Otto terwijl hij over zijn slapen wreef. 'Ik heb geen idee waar ik ben of hoe ik hier terecht ben gekomen. Maar ik heb wel barstende koppijn.'

'Dan ziet het ernaar uit dat ons hetzelfde is overkomen,' antwoordde Otto's medepassagier. 'De hoofdpijn zal zo verdwijnen, maar ik vermoed dat jij net als ik geen enkel besef hebt van de recente gebeurtenissen.'

Otto begreep dat de jongen gelijk had. Hoe hard hij ook zijn best deed, hij kon zich slechts heel vaag herinneren wat er gebeurd was voor hij hier was beland. Hij had een beeld van een donkere gedaante in een deuropening die met opgeheven hand iets op hem richtte, maar daarna wist hij niets meer.

Otto bekeek zijn nieuwe omgeving eens wat beter. Een doorzichtig plastic scherm scheidde hen van de twee in het zwart geklede piloten in de cockpit. Een van de mannen wierp een blik achterom. Toen hij zag dat Otto wakker was geworden zei hij iets onverstaanbaars tegen zijn copiloot.

Otto was niet vaak zenuwachtig, maar nu kon hij een gevoel van ongerustheid niet onderdrukken. Hij probeerde de veiligheidsgordel los te maken die hem op zijn stoel hield, maar het ding weigerde open te gaan. Hij kon nergens heen, dat was duidelijk. En waar hij heen zou moeten als hij zichzelf wist te bevrijden was weer een heel ander verhaal – het enige wat hij aan alle kanten door de ramen kon zien was de eindeloze oceaan. Het was duidelijk dat ze geen andere keus hadden dan gewoon te blijven zitten en af te wachten waar deze geheimzinnige reis hen heen zou voeren.

Otto keek door het scherm naar voren, op zoek naar hun mogelijke bestemming. Eerst zag hij alleen de zee die zich voor hen uitstrekte, maar toen viel zijn oog op iets aan de horizon. Het leek op een vulkaan die uit het water oprees, met een stompe top waar een lange, zwarte rookzuil uit kwam, maar van deze afstand was het niet echt goed te zien.

'Dat is het eerste land dat ik zie sinds ik bijna een uur geleden wakker werd,' zei de Aziatische jongen, die het eiland dat langzaam in zicht kwam ook had opgemerkt. 'Ik vermoed dat we onze bestemming naderen.'

Otto knikte. De helikopter vloog recht op het eiland af en de piloten waren nu druk bezig allerlei schakelaars om te zetten en knoppen bij te stellen, alsof ze zich klaarmaakten voor de landing.

'Misschien krijgen we daar wel antwoord op onze vragen,' zei Otto terwijl hij naar het alsmaar groter wordende eiland bleef turen.

'Ja,' antwoordde de jongen, die nog steeds recht voor zich uit staarde. 'Ik vind het niet prettig in het ongewisse gelaten te worden, en ik ben erg benieuwd waarom we in deze helikopter zijn gezet en zo ver weg gebracht worden. Het lijkt me bijzonder verstandig om de motieven van lui die mensen op deze manier ontvoeren in twijfel te trekken.'

De helikopter had de afstand naar het eiland snel overbrugd en vloog algauw in een razend tempo over de boomtoppen van het oerwoud dat de vulkaan omringde. Toen ze bij het midden van het eiland waren, schoot het gevaarte langs de wand van de rokende vulkaan omhoog en dook vervolgens de donkere wolk boven de top in. Otto wist meteen dat hij niet alles moest geloven wat hij zag. Als ze echt een vulkanische rookpluim in waren gevolgd, zou de helikopter binnen een paar seconden tot as verbrand zijn. In plaats daarvan minderde hij vaart, bleef even hangen en zakte toen de kolkende wolken in.

Otto werd nog ongeruster toen de helikopter verder daalde, want ze konden geen hand voor ogen zien. Er was beneden vast iets waar ze op konden landen, stelde hij zichzelf gerust. De Aziatische jongen bleef ondertussen onverstoorbaar zitten. Hij staarde recht voor zich uit met zijn handen rustig in zijn schoot gevouwen en maakte zich blijkbaar helemaal niet druk over waar ze terecht zouden komen. De helikopter bleef zakken, maar nu kwam er een mistig licht van beneden dat op de donkere wolken scheen, die zienderogen minder dicht werden. Plotseling waren ze de rook uit en Otto gluurde uit het raam naar het bizarre tafereel onder hem.

Hij zag een soort met schijnwerpers verlichte grot, met in het midden een landingsplatform waar tientallen mannen omheen liepen. Ze hadden op het eerste gezicht allemaal een oranje overall aan en helmen op, en waren druk bezig om de aankomst van de helikopter voor te bereiden.

'Zo te zien worden we verwacht,' merkte de jongen op terwijl hij uit het raam keek. 'Misschien krijgen we nu de antwoorden waar we op hoopten,' ging hij verder, alsof dit voor hem allemaal de gewoonste zaak van de wereld was.

De helikopter kwam met een zachte bons op het platform terecht en de gordels van de twee jongens sprongen met een klik open. Een paar van de mannen in de oranje pakken liepen op het vliegtuig af. Het viel Otto meteen op dat ze allemaal grote zwarte holsters aan hun riem hadden hangen.

Toen de bewakers dichterbij kwamen draaide de andere

jongen zich om naar Otto en zei: 'Ik heet Wing Fanchu. Hoe mag ik jou noemen?'

Otto was maar heel even van zijn stuk gebracht door Wings directheid en antwoordde: 'Malpense... Otto Malpense.'

Een bewaker trok de deur aan Otto's kant van de helikopter open en gebaarde dat hij eruit moest komen. Toen Otto op het betonnen platform stapte, zag hij pas echt hoe groot de verborgen hangar eigenlijk was. Rond de verhoging stonden een stuk of tien gestroomlijnde, inktzwarte helikopters, precies dezelfde als die hen hiernaartoe had gebracht. Hun matte rompen leken al het licht van de schijnwerpers op te slokken. Overal hielden bars kijkende bewakers alles in de gaten en Otto besloot dat hij waarschijnlijk maar beter kon doen wat zijn nieuwe gastheren hem opdroegen – voorlopig tenminste. Ook Wing nam hun nieuwe omgeving in zich op, met diezelfde onveranderlijke, licht nieuwsgierige uitdrukking op zijn gezicht. Als hij al verbaasd was over deze bizarre ruimte dan liet hij daar niets van merken.

'De trap op en de hoofdingang door,' beval de bewaker kortaf. 'Binnen krijgen jullie verdere instructies.'

Otto keek in de richting die de man aangaf en zag een brede, uit de rotsen gehakte trap die naar twee gigantische stalen deuren leidde. Otto en Wing liepen erheen en Otto vroeg zich af wat er achter zo'n imposante entree zou schuilgaan. Plotseling klonk er een schurend geluid en toen hij opkeek zag hij hoe twee enorme panelen voor de kateringang van de grot naar elkaar toe schoven en hen van de buitenwereld afsloten. De schijnwerpers aan het plafond van de grot vormden nu de enige verlichting en Otto huiverde toen de panelen met een onheilspellend geknars tegen elkaar stootten.

De twee jongens waren boven aan de trap en de zware deuren zwaaiden rommelend open. Ze liepen erdoorheen, een andere spelonk in, niet zo groot als de hangar maar net zo indrukwekkend. De vloer was van zwart, gepolijst marmer en in de wanden van de grot zaten enorme platen van hetzelfde glimmende materiaal, met daarin stevig uitziende deuren van mat staal. Aan de andere kant van de hal stond een imposant granieten beeld van een wereldbol die door een enorme gebalde vuist in tweeën werd gebroken. Op de sokkel stond in rijkelijk versierde letters het opschrift LAAT HET KWAAD GESCHIEDEN.

Voor het beeld was een laag podium met een lessenaar in het midden, en daaromheen stonden een stuk of twintig kinderen zenuwachtig tegen elkaar te fluisteren. Ze leken allemaal ongeveer even oud als Otto en hij zag dat ze net zo in de war en onrustig waren als hij, alleen kon hij het beter verbergen. Langs de wanden van de grot stonden hier en daar bewakers, die iedereen scherp in de gaten hielden. Otto bleef kalm en maakte van de gelegenheid gebruik om die bewakers eens wat beter te bekijken. Ze zagen eruit als huurmoordenaars, maar dan heel goed gedrild. Ze droegen allemaal een groot holster op hun heup en Otto wist zeker dat ze niet zouden aarzelen om hun wapens te gebruiken als dat nodig mocht zijn. En, om het nog enger te maken, ook niet als dat níét nodig was.

Met een sissend geluid ging in een van de zijmuren een deur open en een lange, in het zwart geklede man liep doelbewust over het podium naar de lessenaar. Zijn hele voorkomen was ontzagwekkend, van zijn onberispelijke pak met bloedrode stropdas tot zijn ravenzwarte haar met grijze strepen bij zijn slapen. Hij bekeek de kinderen die voor hem stonden met een koele, berekenende blik, en Otto kon aan zijn knappe gezicht niet afleiden hoe oud hij was of waar hij vandaan kwam.

'Welkom, dames en heren, in jullie nieuwe onderkomen.' Hij gebaarde naar de stenen wanden van de grot om hen heen. 'Het leven zoals je dat tot nu toe gewend was, is voorbij,' ging hij verder. 'Jullie, de slechtste, sluwste, listigste kinderen van over de hele wereld, zijn geselecteerd om deel uit te komen maken van een uniek instituut. Jullie hebben allemaal bepaalde kwaliteiten laten zien, kwaliteiten waarmee jullie je hebben onderscheiden van de grauwe massa en die jullie tot de leiders van morgen maken. Hier, op deze plek, zullen jullie de kennis en ervaring opdoen om je eigen aangeboren talenten zo goed mogelijk te leren benutten, om je geslepenheid verder aan te scherpen en te perfectioneren.'

Hij wachtte even terwijl zijn blik langzaam over de kinderen voor hem gleed, die hem allemaal met een bleek gezicht en grote ogen aanstaarden.

'Jullie hebben stuk voor stuk een bijzondere eigenschap, noem het een gave, een speciaal talent. Jullie zijn eersteklas schurken. De buitenwereld wil jullie doen geloven dat slecht zijn een ongewenste karaktertrek is, iets wat onderdrukt, bedwongen en uitgeroeid moet worden. Maar hier niet! Nee, hier willen we jullie sluwheid tot volle wasdom zien komen, we willen dat jullie je natuurlijke verdorvenheid ontplooien, het allerslechtste in jezelf naar boven halen.'

Hij stapte achter de lessenaar vandaan en liep naar de rand van het podium. De grote man torende hoog boven hen uit en sommige kinderen die vooraan stonden schuifelden nerveus naar achteren.

'Want vandaag hebben jullie allemaal de uitzonderlijke eer en het voorrecht om de jongste lichting leerlingen te worden aan de eerste en enige school voor toegepaste misdadigheid.' Hij spreidde zijn armen en gebaarde naar de muren om hen heen. 'Welkom op H.I.V.E.S., het Hoger Instituut Voor Eersteklas Schurken.'

Na die woorden zakten de enorme zwarte marmeren panelen die langs de wanden van de grot hingen met een diep gerommel langzaam de grond in, waardoor er nog meer grotten en lange gangen tevoorschijn kwamen. De aangrenzende spelonken waren net zo groot als die waar ze nu in stonden en er leken allerlei bijzondere dingen in te gebeuren. Sommige grotten werden verlicht door eigenaardige lampen of waren gehuld in optrekkende rook, andere stonden vol met planten, in weer andere waren geheimzinnige apparaten of bouwwerken opgesteld en in eentje was zelfs een waterval zichtbaar. In één grot schoot plotseling een steekvlam de lucht in, gevolgd door een enthousiast gejuich. In een andere grot gleden tientallen in het zwart geklede figuren langs touwen vanaf het hoge plafond naar beneden. Op de grond onder hen voerden andere mensen, dit keer met witte gewaden aan, precies tegelijk een soort oosterse vechtsportoefening uit.

Er liepen honderden kinderen door de grotten heen en

weer. Een aantal van hen droeg hetzelfde uniform als de bewakers, maar Otto zag ook veel leerlingen in de meest bizarre uitdossingen. In de verte waren mensen van top tot teen in beschermende pakken gehuld, en anderen droegen iets wat verdacht veel op een astronautenpak leek. Eén groep liep zo te zien zelfs in kogelvrije vesten rond, met een grote, roodwitte schietschijf erop getekend.

Nou, heel bijzonder, dacht Otto bij zichzelf. Maar net als bij de reis hiernaartoe had hij het gevoel dat het allemaal bedoeld was om hen te overweldigen en te desoriënteren, zodat ze niet op hun hoede zouden zijn. Hij bekeek de andere grotten en prentte zich snel de indeling zo goed mogelijk in, net als de gangen ertussen en de gedeeltes die hem het belangrijkst leken. De andere kinderen in de groep leken alleen maar met uitpuilende ogen naar al dat vertoon te kunnen staren, maar Otto vond de man die hen had toegesproken minstens zo indrukwekkend. Wing was het blijkbaar helemaal met hem eens – vanaf het moment dat de man zijn mond open had gedaan, had hij alleen maar naar hem gekeken. Zelfs nu de panelen die de andere grotten aan het zicht hadden onttrokken volledig in de grond waren gezakt, hield Wing zijn ogen op hem gericht. Zijn blik verried nog altijd niets over zijn gevoelens.

De man op het podium glimlachte om hun verbijsterde gezichten. Toen begon hij weer te praten en maande de groep, die opgewonden door elkaar praatte, tot stilte. 'Als ik even jullie aandacht mag,' het was een eis, geen verzoek, 'mijn naam is dr. Nero, en ik ben de oprichter en directeur van dit instituut. Zolang jullie binnen deze muren verblijven, zullen jullie veilig onder mijn bescherming verkeren. Als tegenprestatie vraag ik van jullie alleen maar je onvoorwaardelijke trouw en gehoorzaamheid. Ik verwacht niet dat ik die zal krijgen, maar de eerste keer vraag ik het altijd netjes.' Zijn glimlach zei heel duidelijk dat het niet verstandig zou zijn om het op een tweede keer te laten aankomen. 'Jullie hebben ongetwijfeld allerlei vragen, en daarom zullen we jullie kennismaking met H.I.V.E.S. straks voortzetten. Eerst zullen jullie naar je introductiebijeenkomst worden begeleid, waar een korte presentatie wordt gegeven die meteen jullie belangrijkste vragen zal beantwoorden. Direct daarna krijgen jullie van een van onze hoofddocenten een korte toer langs de belangrijkste plekken binnen het instituut en een inleiding over het leven op H.I.V.E.S. Ik weet zeker dat ik jullie de komende dagen allemaal weer zal zien, maar tot die tijd wens ik jullie allemaal veel succes, en veel plezier bij de toer.'

Toen hij uitgesproken was, leidden de bewakers iedereen weg van het podium, naar een deuropening in de hoofdwand van de grot. Boven de deur hing een bordje met daarop een gestileerde afbeelding van een hoofd met een gloeilamp erboven, en daaronder de tekst COMPLOTLOKAAL 2. Toen ze ernaartoe liepen, gleden de deuren van de kamer uitnodigend open.

Dr. Nero stond te kijken hoe de groep de grot schuin overstak en vervolgens de deur door liep. Hij genoot elke keer weer van de manier waarop hun monden openvielen als ze voor het eerst de omvang zagen van de school die hij hier had gecreëerd. Hij was er vast van overtuigd dat je de impact van een eerste indruk nooit mocht onderschatten, en dat het altijd beter was om de nieuwe leerlingen in het begin in een staat van opperste verwarring te houden. Op die manier was er minder kans op ongehoorzaamheid, een bijzonder groot risico als je met een groep jonge mensen te maken had die zich allemaal al van kleins af aan hadden gespecialiseerd in wangedrag. Bovendien, en dat was de andere reden voor dit stukje theater, zat er altijd één leerling tussen de nieuwelingen die níét van zijn stuk gebracht was, die niet werd afgeleid door zijn goedkope trucjes. Een leerling om in de gaten te houden. En hij had hem gezien, de jongen met het spierwitte haar, degene op wie hij goed zou moeten letten. Terwijl zijn medeleerlingen met open mond naar zijn bescheiden staaltje machtsvertoon hadden gestaard, opgewonden met elkaar hadden gepraat en alle kanten op hadden gewezen, had deze jongen alleen maar aandachtig rondgekeken, alsof hij informatie opsloeg om die later te kunnen gebruiken. Ja, dat was de leerling om scherp in het oog te houden. En er was Nero nog iets anders ongewoons opgevallen: de lange Aziatische jongen die naast de witharige nieuwkomer stond had hem recht aangekeken en had zich geen moment laten afleiden door het spectaculaire schouwspel om zich heen. Hij had het gezicht van de Aziatische jongen goed in zich opgenomen – hij had iets heel bekends, maar hij kon niet precies zeggen wat. Dan zal ik twéé ogen in het zeil moeten houden, dacht Nero glimlachend. Dit zou nog wel eens een interessant jaar kunnen worden.

'Je kunt nu wel tevoorschijn komen, Raaf,' zei hij zacht.

Bij de sokkel van het beeld maakte iemand zich los uit de schaduw en stapte het licht in. Hij was geheel in het zwart gekleed, met een masker voor zijn gezicht en een zwarte bril over zijn ogen, en kwam zwijgend naar hem toe. Nero bedacht dat het bijna leek alsof de schaduwen de gedaante volgden terwijl hij dichterbij kwam.

'Zet je masker eens af, Natalya. Je weet hoe vervelend ik het vind om met je te praten als je het op hebt.'

Raaf knikte kort en trok het masker af waar haar bleke maar mooie gezicht achter schuilging. Het was volmaakt symmetrisch, op het felle litteken na dat over een van haar wangen naar beneden liep. Haar ogen waren ijsblauw en haar donkere haar was kortgeschoren.

'Zoals u wilt, doctor.' Ze had een licht accent dat haar Russische afkomst verraadde – ze was tijdens de hoogtijdagen van de Koude Oorlog getraind in infiltratie en contraspionage door de allerbeste mensen van het Sovjetbewind. 'Maar u moet me toch een keer vertellen hoe het komt dat u de enige bent die me blijft zien als ik voor ieder ander onzichtbaar ben.'

'Dat komt nog wel eens, meisje. Nu wil ik iets anders met je bespreken. Ik begrijp dat jij verantwoordelijk was voor de leerlingenwerving dit jaar.' Nero liep terug naar de lessenaar waar hij de nieuwe lichting had toegesproken. Hij drukte op een knopje van het schakelbord dat daar geplaatst was en er schoof een paneel opzij. Op een klein schermpje was een foto te zien die een paar minuten eerder van de groep was gemaakt. Hij wees Otto aan. 'Wie is dat?'

Raaf keek naar het scherm. 'Otto Malpense. Heeft een beurs gekregen, maar ik weet niet wie zijn sponsor is. Hij was verantwoordelijk voor het incident rond de Britse minister-president. Ik heb er persoonlijk voor gezorgd dat hij werd gerekruteerd.'

'Interessant.' Nero was onder de indruk. Het incident waar Raaf het over had, had onlangs nog in de hele wereld de voorpagina's gehaald. Er was echter met geen woord over de arrestatie van de dader gerept, zelfs niet over wie het gedaan zou kúnnen hebben. Dat deze jongen erachter bleek te zitten was niet niks, en het versterkte Nero's eerdere gedachten over de knul alleen maar. Hij zei tegen zichzelf dat hij niet moest vergeten te kijken wie de beurs voor Malpense had betaald. Sommige leerlingen met een beurs waren wees, sommige waren weggelopen, maar ze hadden in elk geval geen bezorgde familieleden die justitie op het spoor van H.I.V.E.S. zouden kunnen zetten. En Malpense was dus zo'n beursleerling.

'Ik wil dat je hem goed in de gaten houdt, Natalya. Ik vermoed dat hij... veel potentie heeft.' Op ongeveer dezelfde manier waarop een nog niet ontplofte kernbom veel potentie heeft, dacht Nero bij zichzelf. 'En die jongen daar, hoe heet hij?' Hij wees naar Wing, die duidelijk opviel omdat hij een stuk langer was dan de anderen.

Natalya was even stil en bekeek de lange jongen met de zwarte paardenstaart aandachtig. 'Dat is Wing Fanchu, meneer. Hij is opgehaald door onze operatie-eenheid in het Verre Oosten. Hij is geen beursleerling, volgens mij. Zijn precieze achtergrond ken ik niet, maar ik weet wel dat het heel wat voeten in de aarde heeft gehad om hem op te halen. Er zijn meerdere mannen gewond geraakt bij hun poging hem te verdoven, wat zoals u ongetwijfeld weet hoogst ongebruikelijk is.'

Dat was inderdaad ongebruikelijk, dacht Nero. De meeste kinderen werden voor de selectie opgegeven door hun ouders of verzorgers, die, nadat ze hun interesse in een 'alternatieve' opleiding hadden getoond, discreet geïnformeerd werden over het instituut en de unieke mogelijkheden die het bood. Sommige ouders hadden zelf op H.I.V.E.S. gezeten, en andere wilden gewoon dat hun kinderen het 'familiebedrijf' zouden voortzetten. De kinderen waren allemaal een jaar lang gevolgd om te zien of ze over de juiste talenten beschikten voor een schoolcarrière op H.I.V.E.S. Er werden in het geheim testen afgenomen en situaties geënsceneerd die schurkachtigheid uitlokten om te kijken hoe ze zouden reageren. Als ze – zonder het zelf te weten – voor de testen waren geslaagd kregen hun ouders bericht, en nadat er een fors bedrag op een geheime Zwitserse bankrekening was overgemaakt, werden ze aangenomen.

Hun ouders kregen strikte instructies dat de nieuwe leerlingen onder geen beding iets te horen mochten krijgen over hun toekomstige school. Dit beleid was ingevoerd na een paar ongelukkige incidenten in de eerste jaren van het instituut, toen aangenomen leerlingen het nieuws over hun toekomst op H.I.V.E.S. enthousiast aan hun vrienden vertelden, ondanks de uitdrukkelijke opdracht dat niet te doen. Door één zo'n incident had de school uiteindelijk zelfs moeten verkassen van de oorspronkelijke locatie op IJsland naar het huidige onderkomen op het eiland. Vanaf dat moment was er een strikte geheimhoudingsplicht ingesteld, en daarom moesten de leerlingen aan het begin van elk schooljaar onopvallend door Nero's werknemers worden opgehaald.

Zo ging het normaal gesproken in elk geval – het ophalen van Wing Fanchu was zo te horen allesbehalve onopvallend verlopen. En dat was niet goed voor de zaken, vooral niet voor het soort zaken waar H.I.V.E.S. zich mee bezighie

'Wat is er precies gebeurd?' vroeg Nero terwijl hij het schermpje op de lessenaar weer uitzette.

'Zoals ik het begrepen heb, meneer, is de rekruteneenheid volgens de standaardprocedure te werk gegaan. Ze hebben de jongen met een stille neergeschoten terwijl hij in zijn eentje door de tuin van zijn ouderlijk huis wandelde. Blijkbaar was het apparaat niet goed afgesteld, want de jongen is erin geslaagd om daarna nog twee van onze mannen uit te schakelen. Toen hij onderweg naar het verzamelpunt wakker werd heeft hij ook nog een agent verwond, en vervolgens heeft hij geprobeerd te ontsnappen. Ik moet hierbij vermelden dat hij daarbij nog twee keer met een stille moest worden beschoten voor hij bewusteloos raakte.'

Nero draaide zich met opgetrokken wenkbrauwen naar Raaf om. 'Dus er waren drie schoten voor nodig om deze jongen buiten westen te krijgen, een dosis waar een normaal kind een week van onder zeil zou zijn, en toch lijkt hij alweer volledig hersteld? Het lijkt haast wel of hij beter geschikt is voor de handlangersrichting. Heeft kolonel Francisco zijn dossier ingezien?'

'Ja meneer, maar de kolonel zei dat hij te hoog scoorde bij de intelligentietesten om daaraan mee te kunnen doen, en dat hij in plaats daarvan de alfarichting moest doen.' Haar blik verstrakte – net als alle stafmedewerkers van H.I.V.E.S. vond ze het niet prettig om mislukte operaties aan Nero te moeten melden. 'U kunt ervan op aan dat ik hem zeer goed in de gaten zal houden.'

'Doe dat, Natalya, en zorg ervoor dat de beveiliging op de hoogte is van zijn klaarblijkelijke immuniteit voor de standaard verdovingsmethodes.'

'Natuurlijk, doctor. Kan ik u nog ergens anders mee van dienst zijn?'

'Nee, ga maar. Ik wil dat je alle verdachte zaken rond die twee direct aan mij rapporteert.'

'Ja meneer.' En met die woorden deed ze haar masker weer op en verdween in de schaduwen van de grot.

Hoofdstuk 2

Otto keek de ruimte rond die ze net waren binnengegaan. De muren van het nu al vertrouwde, glanzende zwarte marmer waren bezaaid met schermen met daarop allerlei kaarten en grafieken. Maar alle aandacht werd direct getrokken door één meubelstuk dat midden in de kamer stond: een enorme tafel. De tafel was minstens tien meter lang en gemaakt van donker hout. In het midden was het symbool met de zilveren vuist en de wereldbol ingelegd, dezelfde afbeelding als het beeld in de toegangsgrot. Om de tafel stonden zo'n vijfentwintig grote zwarte leren stoelen met hoge ruggen die allemaal onbezet waren, met de opvallende uitzondering van de stoel helemaal aan de andere kant van het lokaal.

Daar, aan het hoofd van de tafel, zat een vrouw in een lange zwarte jurk en een bontjas. Haar verschijning was net zo opmerkelijk als alle andere dingen die Otto die dag al had gezien. Ze had een skeletachtig gezicht en haar dunne, bijna doorschijnende huid spande strak over haar jukbeenderen. Ze droeg een monocle voor haar linkeroog en hield een lange, dunne sigarettenpijp vast, die ze af en toe omlaag bracht om de smeulende kegel in de asbak te tikken die voor haar op tafel stond. Maar wat aan deze vrouw het meest opviel was haar kapsel. Het was gewoon enórm, alsof ze een heel groot ebbenhouten beeld om haar hoofd had. Voor deze haardracht had je geen kapper nodig, maar een architect. Het was een waar eerbetoon aan de haarlak

– groot, onbeweeglijk en onverwoestbaar. Ze scheen de groep erg grappig te vinden en glimlachte alsof ze moest denken aan een reuzeleuke mop die de anderen in de kamer niet kenden. Toen de laatste leerling binnen was, legde ze haar sigarettenpijp in de asbak en sprak hen toe.

'Kom toch dichterbij, kinderen. Ga zitten,' zei ze terwijl ze naar de stoelen om de tafel gebaarde. Ze verspreidden zich rond de vergadertafel en kozen een stoel. Otto schoof snel halverwege de tafel aan en wachtte tot de anderen ook een plekje hadden gevonden. Wing kwam naast hem zitten.

'Zo, dus jullie zijn de nieuwe alfa's,' zei ze terwijl de laatste kinderen plaatsnamen. Ze glimlachte opnieuw en alle gezichten rond de tafel keken haar verwachtingsvol aan. 'Ik ben Contessa Sinistre, maar iedereen hier noemt me simpelweg de Contessa. Het is me een waar genoegen om jullie kennis te laten maken met jullie nieuwe leven op H.I.V.E.S. We beginnen vandaag met een kort filmpje en daarna zal ik een paar van jullie vragen beantwoorden. Daar gaan we.' De Contessa sprak met een Italiaans accent en had een kalmerende, opvallend melodieuze stem. Een aantal kinderen leek zich zichtbaar te ontspannen terwijl ze praatte.

De lichten in de kamer doofden en uit het plafond aan het uiteinde van de tafel, tegenover de Contessa, zakte een scherm naar beneden. Op het scherm was weer hetzelfde logo te zien van de vuist die de wereldbol aan gruzelementen sloeg. Het logo vervaagde en daarvoor in de plaats kwam het eiland met de rokende vulkaan waar ze net overheen waren gevlogen. Er klonk een voice-over met een Amerikaans accent.

'Welkom op Het Eiland, een geheime tropische locatie die de thuisbasis vormt voor H.I.V.E.S., de bijzonderste en meest prestigieuze onderwijsinstelling ter wereld. Het Hoger Instituut voor Eersteklas Schurken werd aan het eind van de jaren zestig opgericht door dr. Nero om de leiders van morgen op te leiden, en kent een luisterrijke geschiedenis. Het Instituut is nu in het vijfde decennium van zijn bestaan en vormt een ultramodern trainingscentrum dat volledig is uitgerust om jou zo goed mogelijk voor te bereiden op de wereldheerschappij van de toekomst.'

Het beeld veranderde in een dwarsdoorsnede van de structuur van het eiland. Otto had meteen door dat ze nog maar een fractie van het hele instituut hadden gezien. Als deze tekening klopte waren er nog allerlei spelonken en kilometerslange gangen die vanaf de toegangsgrot alle kanten op liepen. Het gedeelte waar ze nu waren leek de spil van de constructie te vormen, en dat was ook logisch als je ervan uitging dat de krater waardoor ze naar binnen waren gevlogen de enige in- en uitgang was. Op de tekening waren in elk geval geen andere officiële wegen naar buiten te zien. Otto vond de naam H.I.V.E.S., Engels voor 'bijenkorven', opeens erg toepasselijk. De film ging verder.

'Het motto van dr. Nero is altijd geweest: "Om het slechtste te doen, heb je de besten nodig", en daarom heeft hij zichzelf ten doel gesteld om de beste docenten en trainers van over de hele wereld bij elkaar te krijgen en hun alles wat ze maar nodig hebben ter beschikking te stellen voor een perfect resultaat.'

De film ging over op een snelle serie beelden van klaslokalen, laboratoria, schietbanen, een gigantische tank met haaienvinnen die door het wateroppervlak sneden, rijen computers en ten slotte, tot Otto's grote plezier, iets wat eruitzag als een enorme en bijzonder goed gesorteerde bibliotheek.

'Het leven van een leerling op H.I.V.E.S. is vol spanning en plezier – hier sluit je vriendschappen voor de rest van je leven.'

Er kwam weer een nieuw stel videofragmenten voorbij, dit keer van allerlei leerlingen. De meesten leken ouder dan Otto, en ze hielden zich allemaal met een bizarre reeks activiteiten bezig. Ze zagen twee jongens schermen, een jongen die zijn vriend wenkte om door een microscoop te komen kijken, twee meisjes die samen een klimwand beklommen en als laatste een jongen die zijn duim opstak naar een andere leerling, nadat hij op een doel buiten beeld had geschoten met iets wat opvallend veel op een lasergeweer leek. Misschien zaten er toch wel leuke kanten aan het leven op H.I.V.E.S., dacht Otto. Ze zeggen wel eens dat vrienden komen en gaan, maar krachtige laserwapens houd je voor de rest van je leven.

'De komende zes jaar zul je hier op dit instituut verblijven, en hoewel contact met de buitenwereld de eerste tijd niet is toegestaan, zul je het op H.I.V.E.S. minstens zo naar je zin hebben als thuis.'

Op het scherm waren beelden te zien van luxe slaapzalen, uitgestrekte tuinen en een glinsterend zwembad onder in een grot, van bovenaf gefilmd zodat je in de diepte de leerlingen zag rondplonzen. Ze deden net alsof H.I.V.E.S. een soort duur subtropisch hotel was in plaats van een school.

'Op H.I.V.E.S. streven we ernaar om uit elke leerling het allerbeste te halen. In onze moderne wereld kan elke fout fataal zijn. Onze vriendelijke en professionele staf staat altijd klaar om leerlingen te motiveren en te begeleiden, om je te helpen nog hogere doelen te bereiken.'

Er volgden fragmenten van bewakers die in hun vertrouwde oranje uniform verdwaalde leerlingen weer op de juiste weg hielpen, enthousiast meededen met spelletjes en verward kijkende scholieren hun huiswerk uitlegden. Tot slot gingen twee bewakers met vlammenwerpers een grote barbecue te lijf, met daarnaast allemaal blije kinderen die al klaarstonden met papieren bordjes. Ze leken niet erg op de bewakers die Otto tot nu toe had gezien; meer op zorgvuldig geselecteerde acteurs of modellen bij wie geen spoor te zien was van de littekens, ontbrekende tanden en ooglapjes die bij de echte bewakers onderdeel van hun uniform schenen te zijn.

'Het leven op H.I.V.E.S. is spannend en uitdagend: elke dag brengt nieuwe ervaringen met zich mee die jou de perfecte start zullen geven voor een succesvol crimineel leven.'

Ze zagen een opname van dr. Nero die een diploma uitreikte aan een leerling en hem warm de hand schudde. De camera bleef uitzoomen tot bleek dat de hele toegangsgrot vol stond met klappende mensen. Vervolgens leek de camera terug omhoog te glijden door de krater tot hij uiteindelijk weer boven het ogenschijnlijk verlaten eiland bleef hangen. De voice-over sprak nog één laatste zin.

'H.I.V.E.S., de school van nu, voor de schurken van de toekomst.'

Het beeld ging over in het logo met de wereldbol en de vuist en de lichten in het lokaal gingen weer aan.

'Goed, kinderen. Jullie hebben gezien wat H.I.V.E.S. jullie zoal te bieden heeft – zijn er nog vragen?' De Contessa keek de tafel rond.

'Ik heb een vraag.' Wing verbrak als eerste de stilte. 'Waarom mogen we geen contact met de buitenwereld hebben?' Otto had hetzelfde willen vragen, maar hij had zijn mond gehouden om te zien waar de anderen mee zouden komen. De Contessa wierp Wing een stralende lach toe.

'Maar mijn beste jongen, je zult toch zeker wel begrijpen waarom een instituut als het onze strikt geheim moet blijven. Er hebben zich in het verleden een paar ongelukkige incidenten voorgedaan die een direct gevolg waren van zeer spijtige en onnodige schendingen van de veiligheidsregels. De enige manier om een herhaling van zulke problemen te voorkomen is als we er zeker van zijn dat niemand de locatie van H.I.V.E.S. opzettelijk of per ongeluk onthult.'

'Dus we worden hier gevangen gehouden?' vroeg Wing bot.

'"Gevangen" is zo'n zwaar woord.' De glimlach van de Contessa leek een beetje te bevriezen. 'Je moet het meer zien als "heel goed beschermd".' Otto vroeg zich af of zij tegen de buitenwereld werden beschermd, of dat het andersom was.

'En onze ouders dan? Vragen die zich niet af waar hun kinderen opeens gebleven zijn?' vroeg Wing.

'Ze zijn op de hoogte van de situatie, alleen niet van de exacte locatie. Jullie zijn hier met hun toestemming naartoe gebracht,' legde de Contessa uit. Voor sommige kinderen rond de tafel kwam dat zo te zien als een schok.

'Mogen we met hen praten?' wilde Wing weten.

'Nee, ik heb al uitgelegd dat er geen communicatie tussen de leerlingen en de buitenwereld is toegestaan. Jullie familie valt daar ook onder.' De Contessa begon zichtbaar haar geduld te verliezen door Wings aanhoudende vragen.

'Hoe weten we dan dat ze echt op de hoogte zijn van onze situatie?' Wing leek vastbesloten het er niet bij te laten zitten.

De Contessa keek Wing recht in de ogen. 'Dat hoef je toch eigenlijk helemaal niet te weten?' vroeg ze. Terwijl ze het vroeg leek de klank van haar stem een beetje te veranderen, en Otto zou zweren dat hij even ergens heel vaag andere stemmen zachtjes hoorde fluisteren. Wing deed zijn mond open om antwoord te geven, maar kreeg toen een verdwaasde uitdrukking op zijn gezicht, alsof hij was vergeten wat hij had willen zeggen.

'Nee, dat hoef ik niet te weten, Contessa.' Zijn stem klonk afwezig en verward.

'Mooi zo. Iemand anders nog een vraag?' Ze keek de tafel weer rond. Het verbaasde Otto dat Wing zo plotseling zweeg; hij zag er bleek en een beetje gedesoriënteerd uit. Toen hij merkte dat niemand anders van plan leek te zijn iets te zeggen, nam Otto zelf het initiatief.

'Ja, Contessa, ik heb een vraag.'

Ze draaide zich naar hem toe en glimlachte. 'Wat zou u willen weten, meneer...' Ze wachtte even tot hij zijn naam zou noemen.

'Malpense. Otto Malpense,' antwoordde hij. Ze gebaarde dat hij verder moest gaan. 'Mogen de leerlingen wel eens van het eiland af?' vroeg hij.

'Af en toe zijn er excursies, en soms krijgen ouderejaars toestemming om het eiland korte tijd te verlaten als dr. Nero dat noodzakelijk acht.' Aan haar toon kon hij horen dat dit niet het soort vragen was waar ze op zat te wachten.

Otto vroeg zich af wat een goede reden zou zijn om toestemming te krijgen het eiland te verlaten.

'Is er wel eens iemand van het eiland ontsnapt?' Otto wist dat hij wel erg ver ging met zo'n vraag, maar hij wilde zien hoe de Contessa zou reageren.

'Dat heet geen ontsnappen, dat heet spijbelen, en wij keuren spijbelen ten zeerste af, meneer Malpense, ten zeerste,' antwoordde de Contessa vinnig en zichtbaar geïrriteerd.

Nu komen we ergens, dacht Otto, toen hij haar ergernis voelde.

'U hebt nog geen antwoord gegeven op mijn vraag – is er wel eens iemand...'

'Pas maar op, meneer Malpense,' onderbrak ze hem. 'Mensen zouden nog kunnen denken dat u niet graag in ons gezelschap verkeert.' Ze kneep haar ogen tot spleetjes. 'Verder hoeft u niets te weten, of wel soms?'

Wel waar – Otto had nog wel honderd vragen die hij wilde stellen, maar plotseling leken ze allemaal uit zijn hoofd verdwenen. En daar was dat zachte gefluister weer. Hij keek naar Wing, die nog steeds de licht bevreemde blik had van iemand die weet dat hij iets vergeten is en erg zijn best doet om zich te herinneren wat dat ook alweer was.

'Iemand anders nog?' De Contessa keek plotseling een stuk minder vriendelijk. Een meisje met lang blond haar aan de andere kant van de tafel stak aarzelend haar vinger op. De Contessa knikte haar toe en het meisje rechtte haar schouders.

'Moeten we net zulke afschuwelijke overalls aan als de

kinderen in dat filmpje?' Ze was Amerikaanse, en uit haar afkeurende toon bleek duidelijk dat ze niet erg blij zou zijn als haar garderobe de komende zes jaar uit oranje overalls zou bestaan.

'Alle leerlingen dragen dat uniform, jazeker,' antwoordde de Contessa. 'Er zijn wat verschillen om je jaar en richting aan te geven, maar verder zijn ze hetzelfde. De mogelijkheden om een wat modieuzere outfit aan te schaffen zijn hier tamelijk beperkt, ben ik bang.'

Het gezicht van het meisje betrok en ze zakte met haar armen over elkaar onderuit in haar stoel.

Een knap roodharig meisje met een Schots accent aan de overkant van de tafel had ook een vraag. 'Wat is een "richting"? Daar had u het net over.' Otto kon zich vaag herinneren dat hij die vraag ook had willen stellen, maar hij voelde zich nog steeds vreemd verward na zijn gesprek met de Contessa.

'De school is onderverdeeld in diverse richtingen die zich allemaal bezighouden met het onderwijzen en trainen van bepaalde disciplines. Jullie zijn bijvoorbeeld de alfarichting, gespecialiseerd in leiderschap en strategieonderwijs. Er zijn nog drie andere richtingen binnen H.I.V.E.S.: de handlangersrichting, de technische richting en de politiek/financiële richting. De meeste lessen worden aan alle richtingen gegeven maar een aantal is specifiek bedoeld voor bepaalde klassen. Alle richtingen zijn te herkennen aan de kleuren van hun uniform – zwart voor jullie, de alfaleerlingen, blauw voor de handlangers, wit voor de technici en grijs voor de politiek/financiële leerlingen. Ik weet dat het op dit moment misschien een beetje ingewikkeld lijkt, maar over een paar weken is het allemaal de gewoonste zaak van de wereld voor jullie, echt waar.'

Er ging nog een vinger de lucht in, dit keer van een dikke blonde jongen die een beetje leek te hijgen tijdens het praten.

'Gaan wij zo eten?' vroeg hij met een licht wanhopige ondertoon in zijn stem. 'Ik voel dat ik aan het verzwakken ben.' Hij had een sterk Duits accent.

De Contessa keek hem stralend aan. 'Jij bent vast de zoon van Heinrich Argentblum. Je doet me erg aan hem denken toen hij zo oud was als jij.'

De kleine oogjes van de jongen lichtten op. 'Ja, ik ben Franz Argentblum. Kent u mijn vater?' vroeg hij opgewonden.

'Nou en of. Hij is een oud-leerling van H.I.V.E.S., maar hij had al eindexamen gedaan voor we de school naar de huidige locatie verplaatst hebben. Dus jij gaat je vaders werk voortzetten?' vroeg de Contessa.

'Ja, wij zijn de grootste chocoladeproduzent van heel Europa.' Hij glimlachte gelukzalig.

Wat hij zich niet realiseerde, was dat zijn vader niet alleen een chocolademagnaat was, maar ook een van de machtigste criminele leiders van Europa. Franz zou ongetwijfeld zo ver mogelijk bij de chocoladekant van de zaken vandaan worden gehouden. Het zou waarschijnlijk het beste zijn om hem sowieso zo ver mogelijk bij chocola vandaan te houden, punt.

'Ik weet zeker dat je een uitstekende leerling zult zijn,' antwoordde de Contessa.

Als de gymleraar tenminste weet hoe hij moet reanimeren, dacht Otto.

'Maar om je vraag te beantwoorden,' ging ze verder, 'over

twee uur zullen jullie je bij de andere leerlingen voegen om te lunchen. Vandaag krijgen jullie je kennismakingsrondleiding en ontvangen jullie je uniform.' Aan de ontzette blik op Franz' gezicht te zien had ze net zo goed 'twee jaar' kunnen zeggen in plaats van 'twee uur'.

'Maar goed, genoeg vragen. We zullen eens kijken of we jullie een wat toepasselijker outfit kunnen geven.'

Terwijl iedereen naar de deur liep, kon Otto eindelijk weer wat helderder denken. Hij had zich nog nooit op zo'n vreemde manier verward gevoeld – bijna alsof hij aan geheugenverlies leed – en het was niet iets wat hij graag nog een keer zou meemaken. Wing stond langzaam op en wreef over zijn slapen.

'Een bijzonder onprettig gevoel.' Voor het eerst sinds de twee jongens elkaar hadden ontmoet leek Wing van zijn stuk gebracht. 'Het is haast alsof ik net ontwaakt ben uit een heel diepe slaap.'

'Ik geloof dat het geen goed idee is om hier te veel verkeerde vragen te stellen,' antwoordde Otto. Hij twijfelde er niet aan dat Wing en hij allebei slachtoffer van hetzelfde plotselinge geheugenverlies waren geworden, en hij wist zeker dat de Contessa dat veroorzaakt had. Hij wist alleen niet hoe ze het had gedaan. 'We kunnen voorlopig maar beter onze ogen open- en onze mond dichthouden. Ik wil niet dat onze hersens straks nog eens door iemand gereset worden.' Hij keek even op en zag dat de Contessa hen scherp in de gaten hield. Ze liep glimlachend naar hen toe terwijl de rest van de groep zich bij de deur verzamelde.

'Vooruit, we hebben niet de hele dag de tijd. Jullie zien er allebei wat verdwaasd uit. Is het allemaal een beetje overweldigend voor jullie?'

Otto keek haar recht aan. 'Ja,' zei hij met een glimlach. 'U haalt me de woorden uit de mond, Contessa.'

De Contessa keek Otto met toegeknepen ogen aan en haar stem werd een zacht gefluister. 'O, ik kan nog veel ergere dingen, meneer Malpense, neem dat maar van me aan.' Ze stonden elkaar een paar seconden aan te staren voordat de glimlach op magische wijze terugkeerde op haar gezicht en ze zich weer tot de rest van de groep wendde. 'Kom, kinderen. Zoals gewoonlijk hebben we op H.I.V.E.S. te veel te doen en is daarvoor te weinig tijd.' En met die woorden gooide ze de deur open en schreed naar buiten.

Wing keek haar na en zei tegen Otto: 'Mijn vader zegt wel eens dat alleen een domme man aan de tijgerstaart trekt die uit de boom bungelt.' Het was de eerste keer dat Otto hem zag glimlachen.

Otto grijnsde naar Wing. 'Dat is waar, maar hoe weet je anders of het een tijger is?'

Ze liepen naar buiten, een brede, ijzeren loopbrug op. De brug liep langs de wanden van alweer zo'n enorme, door schijnwerpers verlichte spelonk tot hij in de verte om een hoek verdween. Ver onder hen, op de bodem van de grot, was een koepel van achthoekige glasplaten waarin zo te zien honderden rijen van allerlei planten en bomen stonden. Boven hen hing een oeroude formatie gigantische stalactieten aan het plafond. Het leek net een omgekeerd bos dat schitterde in het felle licht.

'H.I.V.E.S. is bijna geheel zelfvoorzienend,' legde de Contessa uit terwijl ze naar de vreemde constructie onder hen gebaarde. 'In de hydrocultuurkoepel die je daar ziet, worden vele soorten planten gekweekt. Sommige dienen als voedselbron, en andere hebben wat... exotischer eigenschappen.'

Ze wandelde over de loopbrug met de groep achter zich aan. Otto besefte dat er honderden, zo niet duizenden mensen op het eiland woonden, en die konden volgens hem nooit allemaal hun voedsel hiervandaan halen. Dat zou betekenen dat er een manier moest zijn om stiekem grote hoeveelheden voorraden naar het eiland te vervoeren, ook al hadden ze die dan nog niet gezien.

De Contessa liep verder over de brug, haar hoge hakken tikten op het ijzer. De groep volgde gehoorzaam.

'Ik vraag me af hoe het is gelukt om dit allemaal te bouwen zonder de aandacht van anderen te trekken,' zei Wing terwijl hij de grot rondkeek. 'Voor een constructie als deze zijn toch vele honderden bouwvakkers nodig. Hoe houd je zo'n project geheim?'

'Misschien zijn ze nooit meer van het eiland af gegaan toen het eenmaal klaar was,' antwoordde Otto.

Wing trok een wenkbrauw op. 'Met recht een baan voor het leven.'

'Of een leven voor een baan,' kaatste Otto terug. Met al dat gehamer op absolute geheimhouding zou het hem helemaal niet verbazen als H.I.V.E.S. er een tamelijk agressieve pensioenregeling op nahield voor de lager geplaatste werknemers, om het zo maar te zeggen.

Ze gingen een gang in die haaks op de loopbrug de rotsen in voerde. Ze liepen nu naar beneden en het duurde niet lang voor ze in weer een andere, kleinere grot kwamen, die als een knooppunt voor een heleboel gangen leek te dienen. Toen ze naar het midden van de grot liepen, hoorden ze een bizar, schetterend geluid, dat overal vandaan leek te komen.

PWEH, PWEEEEH, PWEH!!!!

Het klonk alsof er heel hard drie noten op een trompet werden gespeeld.

En toen barstte de hel los.

Uit alle gangen stroomden kletsende en lachende kinderen. Ze droegen allemaal de overalls met de kleurencodes waar de Contessa het over had gehad, maar dat was dan ook het enige wat ze gemeen hadden. Dr. Nero had gezegd dat de leerlingen uit alle windstreken kwamen, en hij had niet overdreven. Alle huidskleuren, kapsels, maten en lengtes leken in de menigte voor te komen, en Otto was verbijsterd door de vele accenten die hij hoorde. De flarden van de gesprekken die hij oppikte waren ook niet echt alledaags te noemen.

'... waarom we sloten moeten leren kraken als we kunststof explosieven hebben...'

'... dus hij zegt: "Plutonium?" en wij beginnen allemaal te lachen...'

'... hij hoeft geen volledige baan te beschrijven...'

'... ik duw hem zelf die tank nog eens in...'

'... en hij vond dat ik niet kwaadaardig genoeg lachte, dus ik zei...'

Otto's verbijsterde groep kon niets anders doen dan dicht bij elkaar in het midden van het knooppunt blijven staan, een overrompeld eilandje waar de H.I.V.E.S.-leerlingen als een rivier omheen stroomden.

Met hun wijd opengesperde ogen en gewone kleren trokken ze af en toe de aandacht van de rest. Sommige leerlingen wezen alleen maar terwijl ze lachend hun vrienden aanstootten, andere glimlachten en een paar zwaaiden zelfs in het voorbijgaan. Maar de meeste kinderen leken in het gewoel hun aanwezigheid totaal niet op te merken en algauw waren ze net zo snel verdwenen als ze gekomen waren. Binnen een minuut was de rust weergekeerd. De Contessa draaide zich om en zei tegen de groep: 'Zoals jullie zien hebben we stiptheid hier op H.I.V.E.S. hoog in het vaandel staan. Aan rondlummelen doen we hier niet. Bovendien wil je niet zonder pasje worden gesnapt door de toezichthouders.' Alsof ze erop hadden staan wachten, stampte er net op dat moment een troep bewakers de grot in die de nieuwe leerlingen argwanend opnam.

Achter uit de groep piepte het bibberige stemmetje van een zenuwachtig, kaal jongetje met een dikke bril. 'Waarom zijn de bewakers gewapend?' vroeg hij timide.

'O, maak je maar geen zorgen.' De Contessa lachte hem geruststellend toe. 'Die mensen zijn er om jou te beschermen, je hebt niets te vrezen van ze.' Ze zweeg even. 'Zolang je je aan de schoolregels houdt, uiteraard. Bovendien hebben ze geen gewone handwapens. Let op...'

Ze wendde zich tot de groep bewakers.

'Jij daar.' Ze wees naar de bewaker die vooropliep en hij bleef staan, waardoor ook de rest van de eenheid tot stilstand kwam. 'Geef me je wapen.'

Het viel Otto op dat de bewaker er plotseling heel nerveus uitzag. Hij liep stram naar de Contessa toe, maakte zijn holster open en gaf haar iets aan wat op het eerste gezicht een heel groot pistool leek, met een opvallend dikke loop.

'Dank je.' De Contessa glimlachte naar de bewaker. 'Dat was het. Aan het eind van je ronde mag je een nieuw wapen uit de opslag halen.'

De bewaker was zichtbaar opgelucht dat hij weg mocht en snelde terug naar zijn team. Zonder waarschuwing hief de Contessa het pistool, richtte het op de rug van de weglopende bewaker en haalde de trekker over. Dat veroorzaakte een flits, een zoevend geluid en een kleine drukgolf die de lucht leek te vervormen en die de bewaker recht in zijn rug raakte. Hij viel op de grond als een marionet waarvan de touwtjes zijn doorgesneden, helemaal slap. Een paar kinderen slaakten een geschokte kreet en Otto zag dat de andere bewakers nerveus bij hun gevallen kameraad vandaan schuifelden.

'Dit is een schokgolfverdovingswapen of, zoals de bewakers liever zeggen, een stille. Het vuurt een energiestoot af waar je geen blijvend lichamelijk letsel aan overhoudt. Maar je raakt meteen buiten bewustzijn, tot soms wel acht uur lang. Deze technologie is onlangs door de wetenschappers van H.I.V.E.S. ontwikkeld om de nogal verouderde pijltjespistolen te vervangen die de bewakers vroeger droegen. De stille is veel betrouwbaarder en men heeft mij verteld dat de enige vervelende bijwerking bestaat uit een zware hoofdpijn. Ze zijn zelfs zo ontworpen dat ze niet afgevuurd kunnen worden door iemand die daar geen toestemming voor heeft. Dus je hoeft echt nergens bang voor te zijn.'

Nee, dacht Otto, het zijn maar gewoon groepen ingehuurde bullebakken die met experimentele energiewapens rondsjouwen. Absoluut niets om bang voor te zijn. Hij zag dat Wing het wapen argwanend bekeek en zijn wenkbrauwen fronste.

'Wat is er?' fluisterde Otto.

'Vlak voor ik hiernaartoe gebracht werd, heb ik een aanvaring gehad met mannen die deze wapens droegen. Daar wil je niet mee neergeschoten worden, neem dat maar van me aan.' De rimpel in Wings voorhoofd werd dieper.

'Volgens mij is dat al gebeurd,' antwoordde Otto. 'Dat zoevende geluid is in elk geval het laatste wat ik me kan herinneren voor ik bijkwam in die helikopter.' De barstende hoofdpijn die hij toen had gehad leek die theorie te bevestigen.

De Contessa gebaarde achteloos naar de bewusteloze bewaker die nog steeds op een hoopje op de grond lag.

'Neem hem mee naar zijn kamer, en zorg ervoor dat je hem als hij bijkomt namens mij bedankt voor deze doeltreffende demonstratie.' Twee bewakers stapten naar voren, tilden hun gevallen ploeggenoot op en droegen hem mee terwijl ze achter de rest van de eenheid aan spurtten, die een stuk sneller de grot uitmarcheerde dan ze waren binnengekomen.

'Dan moeten we nu vlug naar de huismeester om jullie allemaal iets fatsoenlijks aan te trekken. Hup, hup.' De Contessa beende een van de gangen in, met de groep in haar kielzog.

Hoofdstuk 3

Onderweg kwamen ze langs verschillende lokalen met ramen die uitkeken op de gang. Otto gluurde naar binnen, maar hij ving slechts af en toe een glimp op van de lessen die er werden gegeven. In één lokaal zag hij een docent in een witte jas een ingewikkeld bedradingsschema op het bord tekenen. Omdat de leerlingen verschillende kleuren uniformen aan hadden, ging hij ervan uit dat dit een les was voor meerdere richtingen. In een andere klas hadden de leerlingen allemaal een blauw uniform aan. De docent, die een soldatentenue van camouflagestof droeg, verschoof kleine poppetjes over een zeer gedetailleerd schaalmodel van een booreiland terwijl hij af en toe opkeek om de klas iets uit te leggen.

Ondertussen lette Otto ook goed op de bordjes die overal hingen. De meeste leken de weg te wijzen naar andere delen van het instituut: TESTGEBIED DODELIJKE STRALEN, DOOLHOF, CENTRALE OPERATIES, ZIEKENBOEG, TUCHTLOKALEN, TESTBAAN enzovoorts. Eén bordje sprong het meest in het oog: DUIKBOOTDOK. Dat zou kunnen verklaren hoe het eiland in het geheim werd bevoorraad. Otto leerde alle namen uit zijn hoofd en gebruikte de richtingaanwijzingen om de driedimensionale kaart uit te breiden die hij in zijn hoofd al van H.I.V.E.S. aan het maken was.

'Daar zijn we dan.' De Contessa stond stil voor twee grote stalen deuren. 'Dit is de huismeester. Binnen krijgen jullie je uniform en worden jullie opgemeten voor de speciale uitrustingen die jullie in de toekomst misschien nodig zullen hebben. Ik zal jullie ook voorstellen aan Brein, die de komende jaren jullie, en onze, steun en toeverlaat zal worden.' Ze draaide zich om naar de gesloten deuren en zei: 'Brein, met de Contessa. Ik heb een nieuwe lichting leerlingen bij me en die hebben nieuwe uniformen nodig. Mogen we binnenkomen?'

Een zachte, afgemeten stem antwoordde: 'Welkom, Contessa. Toegang verleend.'

De deuren gleden opzij en ze liepen achter de Contessa aan naar binnen. De kamer was zo wit dat het bijna pijn deed aan je ogen: de muren, de vloer en het plafond waren allemaal bedekt met witte tegels en werden van alle kanten verlicht door felle lampen. Maar vreemd genoeg leek de kamer helemaal leeg – het was niets meer dan een grote, lichte, witte ruimte. De Contessa liep naar het midden van de kamer en zei: 'Brein, wil je jezelf even voorstellen aan de nieuwe leerlingen?'

Er klonk een gonzend geluid en uit de vloer naast de Contessa kwam een witte buis omhoog, waar plotseling een blauwe laserstraal uit schoot. De straal was zo dun als een potlood en dijde steeds verder uit tot er een vorm ontstond. De vreemde blauwe vlek werd snel scherper en uiteindelijk hing er een draadmodel van een gezicht voor de verbijsterde kinderen. Het zwevende blauwe hoofd begon op dezelfde kalme toon als ze net voor de deur hadden gehoord te praten.

'Welkom, nieuwe alfarichting. Mijn naam is Brein – ik ben hier om jullie te dienen. Waarmee kan ik jullie vandaag van dienst zijn?'

De Contessa richtte zich tot de groep. 'Brein is een unieke vorm van kunstmatige intelligentie. Hij beheert het belangrijkste beveiligingsnetwerk en een groot deel van de dagelijkse gang van zaken in het instituut. Heeft een van jullie een vraag voor hem?'

Ze keken elkaar allemaal onzeker aan – niemand wist wat hij aan deze vreemde verschijning moest vragen. Otto zag dat het roodharige Schotse meisje helemaal gehypnotiseerd leek door het zwevende blauwe gezicht. Terwijl hij naar haar keek ging haar hand langzaam omhoog.

'Pardon,' zei ze, en het gezicht draaide haar kant op.

'Waarmee kan ik u van dienst zijn, juffrouw Brand?'

Je hoefde jezelf in elk geval niet voor te stellen, dat was duidelijk.

Het meisje glimlachte. 'Zeg maar Laura, hoor.'

'Waarmee kan ik je van dienst zijn, Laura?' antwoordde Brein.

'Nou, ik weet het een en ander van computers en dit heb ik nog nooit gezien. Ben jij nieuw?' vroeg Laura met haar hoofd een beetje schuin.

'Ik ben vier maanden, drie weken, twee dagen, vier uur, zevenendertig minuten en drie seconden geleden online gezet. Is dat nieuw?' Brein leek Laura na te doen en hield zijn hoofd ook een beetje schuin.

'O zeker, dat is behoorlijk nieuw. Je moet wel erg complex zijn, wil je in je eentje een instituut als dit kunnen runnen.' Laura leek volkomen op haar gemak terwijl ze met Brein praatte. Blijkbaar zat ze er helemaal niet mee dat het uiteindelijk gewoon een apparaat was.

'Ik ben zo groot dat het geen enkel probleem is alles in dit instituut vlekkeloos te laten verlopen. Dit is bijvoorbeeld slechts één van de tweeënveertig conversaties die ik op dit moment in het hele instituut voer.'

Indrukwekkend, dacht Otto. Daar was een computer voor nodig die veel krachtiger was dan elk bestaand systeem dat hij kende. Maar het betekende helaas ook dat het toezicht op de beveiliging van H.I.V.E.S. niet vatbaar was voor menselijke fouten. Dat zou het heel moeilijk, zo niet onmogelijk maken om onopgemerkt te blijven of onder de bewaking uit te komen.

'Waar ben je? Ik bedoel, waar staat je centrale verwerkingseenheid? Hier?' vroeg Laura.

'Ik ben een gedistribueerd neuraal netwerk. Met andere woorden, je zou kunnen zeggen dat ik tegelijkertijd in alle delen van het instituut aanwezig ben. De locatie van mijn centrale processor is geheim,' antwoordde Brein.

'En daar hoef jij je ook helemaal niet mee bezig te houden, meisje,' voegde de Contessa daaraan toe terwijl ze Laura een strenge blik toewierp. 'Iemand anders een vraag?'

Otto stak zijn hand op. 'Ja, ik wil graag iets vragen.'

Brein draaide zich zijn kant op. 'Waarmee kan ik u van dienst zijn, meneer Malpense?'

'Ik zat te denken dat als het jouw taak is om ervoor te zorgen dat H.I.V.E.S. goed loopt, je alles en iedereen in de gaten moet houden,' zei Otto. Hij wilde erachter proberen te komen of de systemen van Brein om de activiteiten van alle bewoners van H.I.V.E.S. te controleren echt zo efficiënt waren als hij vreesde.

'Het is mijn voornaamste taak om ervoor te zorgen dat dit instituut onafgebroken kan blijven functioneren. Om deze opdracht zo goed mogelijk uit te voeren, is het noodzakelijk om alle onderdelen van H.I.V.E.S. constant te bewaken. Op deze manier blijven de gezondheid en het geluk van alle medewerkers en leerlingen van H.I.V.E.S. gewaarborgd,' antwoordde Brein snel.

Het was wel duidelijk dat Brein de gang van zaken op H.I.V.E.S. nooit uit het oog verloor, dacht Otto bij zichzelf. Maar hij wist ook dat elke netwerkcomputer – hoe geavanceerd ook – kon worden gehackt, en hij richtte zich nu op de vraag hoe je zo'n systeem onklaar zou kunnen maken. Hij voelde het vertrouwde gekriebel van een idee opkomen, en plotseling wist hij precies wat zijn volgende vraag moest zijn.

'Juist. Jij bent zelf ook onderdeel van H.I.V.E.S. – ben jíj gelukkig?' vroeg Otto recht voor zijn raap.

Het blauwe gezicht bleef roerloos en zwijgend in de lucht hangen. De lichten in de kamer leken even te dimmen en werden weer feller toen Brein antwoord gaf.

'Ik mag geen emoties tonen.' Weer een stilte. 'Ik moet ervoor zorgen dat iedereen tevreden is en dat dit instituut probleemloos functioneert. Dat is mijn taak. Emoties zijn overbodig.' Misschien was het gewoon een speling van het licht, maar Otto zou zweren dat hij het blauwe gezicht heel even zijn wenkbrauwen zag fronsen terwijl het dit duidelijk voorgeprogrammeerde antwoord gaf.

Hij zegt dat hij geen emoties mag tonen, dacht Otto, niet dat hij het niet kán. Interessant. Op dat moment zag hij dat Laura met een nieuwsgierige blik naar hem stond te kijken.

'Kunnen we dan nu de uniformen gaan passen, Brein?' vroeg de Contessa ongeduldig.

'Ja, Contessa,' antwoordde de computer.

Plotseling werd de kamer verlicht door een felblauwe flits.

'Maten opgenomen. Willen alle leerlingen doorlopen naar de kleedhokjes?' ging Brein verder. Langs een van de muren schoven witte panelen opzij en er kwamen kleine kamertjes tevoorschijn, één voor elke leerling.

'Goed, kinderen, kleed je maar om in een hokje. Jullie hebben vijf minuten de tijd.' De Contessa keek toe hoe ze naar de kleedkamers liepen.

Otto ging een van de hokjes in en de deur gleed met een sissend geluid achter hem dicht. Aan een van de wanden hing een grote spiegel en aan de muur daartegenover een schermpje. Het lichtte op en Breins gezicht kwam in beeld.

'Wilt u alstublieft uw kleren uittrekken en in de verwerkingsbak leggen?' Er kwam een soort doos uit de muur.

'Al mijn kleren?' vroeg Otto.

'Al uw kleren, alstublieft,' antwoordde Brein.

'Blijf jij kijken?' vroeg Otto met een zweem van een glimlach.

'Ik kijk altijd, meneer Malpense. Begint u maar.'

Otto wist dat het stom was om je te schamen voor een apparaat, maar hij voelde zich toch niet op zijn gemak toen hij zijn kleren uittrok en ze in de bak legde. Hij stelde zich voor dat de deur weer open zou gaan terwijl hij daar in z'n blootje stond en dat iedereen naar hem zou wijzen en heel hard zou lachen. Hij voelde zich kwetsbaar, en Otto hield er niet van om zich kwetsbaar te voelen.

Toen hij zijn onderbroek in de bak legde, gleed die weer terug de muur in en er klonk een gedempt gesuis. Meteen daarna schoof er een ander paneel opzij en daarachter zag hij een zwarte overall, zwarte gympen en tot Otto's grote opluchting ook schoon ondergoed. Hij trok sokken en een boxershort aan en pakte toen de overall van de kleerhanger. Hij was keurig gestreken en op de borst was het vertrouwde logo van de vuist en de wereldbol geborduurd. Op de kraag zat één wit knopje. Otto gleed in de overall en ritste hem dicht. De hoge kraag voelde stijf aan rond zijn nek, maar verder zat het uniform als gegoten. Daarna trok hij de gympen aan en bekeek zichzelf in de spiegel. Hij moest toegeven dat het hem goed stond, hoewel de kleur nogal afstak tegen zijn witte haar.

'Is alles naar wens, meneer Malpense?' informeerde Brein. Otto schrok van de zachte stem – hij was de digitale bewaker bijna vergeten tijdens het aankleden. Hij had zo'n vermoeden dat je hier snel vergat dat Brein alles in de gaten hield, en hij vroeg zich af hoe vaak de computer al gesprekken tussen onoplettende H.I.V.E.S.-leerlingen had afgeluisterd. Ja, Brein was er altijd, en naar zijn beschrijving te oordelen was hij ook letterlijk altijd overal.

'Zeker, dank je, Brein. Volgens mij past het prima,' antwoordde Otto.

'Uitstekend. Dan kunt u zich nu bij de andere leerlingen voegen.'

Otto draaide zich om naar de deur en wachtte tot die open zou gaan.

'Nog één ding, meneer Malpense.' Otto draaide zich weer om naar het scherm. 'Om uw eerdere vraag te beantwoorden... Nee, ik ben niet gelukkig.'

Verbijsterd deed Otto zijn mond open, maar voor hij iets kon zeggen was Brein verdwenen, werd het scherm zwart en ging de deur van zijn hokje open.

Een paar andere leerlingen stonden al in een groepje bij elkaar in de kamer. Hun nieuwe zwarte kleren vormden een scherp contrast met de felle witte omgeving. Wing was er ook; door zijn uniform kwam hij nog imposanter over, voor zover dat mogelijk was.

'En, hoe zie ik eruit?' vroeg Otto glimlachend.

'Heel indrukwekkend,' antwoordde Wing. 'Zwart staat je goed.'

'Echt? Ik vind mezelf net een pint Guinness-bier,' grapte Otto.

Wing moest lachen, een geluid dat Otto nog niet eerder had gehoord. Het was een diepe, welluidende lach en een paar anderen keken nieuwsgierig hun kant op.

'Dank je. Het is lang geleden dat ik voor het laatst heb gelachen. Ik was al bang dat ik misschien vergeten was hoe het moest.' Wing sloeg Otto op zijn schouder en hij kromp in elkaar – het voelde alsof hij een zak bakstenen tegen zich aan kreeg.

Otto keek om zich heen waar de Contessa was. Tot zijn grote plezier zag hij dat het blonde Amerikaanse meisje luidkeels en op hoge toon tegen haar stond te klagen; ze wilde weten wanneer ze haar eigen kleren terugkreeg.

'Moet je horen.' Otto leidde Wing wat verder bij de andere leerlingen vandaan. 'Heeft Brein iets geks tegen jou gezegd toen je je omkleedde?'

Wing keek verbaasd. 'Nee. Hij heeft me wel nog een keer opgemeten in het kleedhokje, omdat hij vond dat mijn eerste uniform niet goed zat, maar verder niets. Hoezo?'

'O, gewoon.' Otto wist niet zeker of hij al aan iemand wilde vertellen wat Brein had gezegd – niet zolang hij nog niet wist wat Brein bedoeld had, in elk geval.

De discussie tussen de Contessa en het meisje liep steeds hoger op. Of liever gezegd, het blonde meisje leek steeds bozer te worden.

'... dat waren designkleren, en wat krijg ik daarvoor in de plaats? Een vuilnismannenoverall. Én ik moest me uitkleden waar dat ding bij was.' Ze wees naar het blauwe gezicht van Brein dat nog steeds boven de witte zuil zweefde. 'Echt vréselijk gênant, en nu zegt u ook nog dat ik niet...'

De Contessa boog zich voorover en fluisterde het meisje iets in het oor. Otto kon niet verstaan wat ze zei, maar het gezicht van het meisje verschoot binnen een paar seconden van verbijsterde verontwaardiging naar lijkbleek.

'U-u heeft g-gelijk. Wat heb je nou aan dure kleren?' stamelde het meisje terwijl ze achteruitdeinsde voor de Contessa. 'Ik vind mijn uniform fantastisch, ik zou er niets aan willen veranderen.'

'Ik wist wel dat je mijn mening deelde,' zei de Contessa glimlachend tegen het meisje. Ze leek wel een kat die met een muis speelde. Otto dacht terug aan zijn eigen aanvaring met de Contessa en er liep een koude rilling over zijn rug.

'Gaat het wel, vriend? Je kijkt wat zorgelijk.' Wing keek Otto onderzoekend aan.

'O, niets bijzonders. Er liep even iemand over mijn graf.' Otto glimlachte zwakjes. 'We moeten voorzichtig zijn bij haar in de buurt, Wing.' Hij keek weer naar de Contessa. 'Ik weet niet wat ze met mensen doet, maar volgens mij is ze geen voorstander van vrijheid van meningsuiting.'

Wing knikte kort. 'Ook niet van andere vrijheden, als je het mij vraagt.'

De Contessa liep terug naar de groep. 'Nu juffrouw Trinity en ik ons gesprekje hebben afgerond, moeten we snel naar de kantine. Jullie hebben vast allemaal trek gekregen.' Er werd instemmend gemompeld. 'Iedereen bij elkaar, alsjeblieft. Even kijken, missen we nog iemand?' Ze keek de groep leerlingen rond.

Achter hen ging het laatste kleedhokje sissend open.

'Kan een van jullie mij helpen met mijn rits? Hij ist kapot!'

Franz kwam zijn hokje uit en trok verwoed aan de rits aan de voorkant van zijn overall. Hij had hem al tot halverwege weten op te trekken, maar kreeg hem niet verder omhoog. Een paar leerlingen stootten elkaar gniffelend aan.

Laura keek boos naar de giechelende jongen naast haar en beende naar Franz toe. 'Kom, laat mij maar even.' Ze trok hard aan de ritssluiting, maar dat hielp ook niet echt. 'Je moet even je adem inhouden, Franz,' zei ze tegen de rood aangelopen jongen. Franz knikte en haalde diep adem – zijn gezicht werd nog roder en zijn wangen stonden bol. Laura bleef aan de rits trekken en uiteindelijk kroop hij langzaam omhoog, tot hij de strijd ten slotte opgaf en over Franz' borstkas naar zijn hals schoot.

'Nu zit hij wel ein klein beetje strak,' hijgde Franz. Zijn hoofd zag eruit alsof het elk moment als een ballon kon knappen.

'Sorry.' Laura trok de rits vlug een paar centimeter naar beneden zodat de kraag rond Franz' nek wat losser kwam te zitten. Franz ademde met een diepe zucht uit en zijn gezicht werd een tikkeltje minder rood.

'Ja, dank je. Dat is veel beter. Zeer aardig van je.' Franz glimlachte naar Laura. 'Contessa, ik denk dat mijn uniform wellicht te klein is, ja?'

De Contessa zuchtte en keek naar Brein.

'Het uniform van meneer Argentblum lijkt niet goed te passen, Brein. Is hij verkeerd opgemeten?' vroeg ze.

'Hij is niet verkeerd opgemeten. Er zat geen groter model in mijn databank. Ik heb een ander model aangemaakt en ik zal een nieuw uniform naar zijn kamer laten brengen,' legde Brein uit.

'Uitstekend.' De Contessa zuchtte opnieuw. 'Ik ben bang dat u het er even mee zult moeten doen, meneer Argentblum. U kunt op een later tijdstip uw nieuwe uniform aantrekken. Maar nu is het zoals beloofd tijd voor de lunch.'

Bij die woorden lichtten de ogen van Franz op en de verontwaardigde uitdrukking die zijn gezicht had gekregen toen Brein zonder omwegen over zijn speciale maten had gesproken, maakte plaats voor een brede grijns. Otto vermoedde dat Franz zelfs spiernaakt zou gaan lunchen als dat nodig mocht zijn. Helaas zag hij dat toen meteen voor zich, en hij vreesde dat dat beeld hem de rest van zijn leven zou blijven achtervolgen.

Wing keek hem bezorgd aan. 'Is er iets, Otto? Je ziet zo bleek. Probeert de Contessa je weer te manipuleren?'

In gedachten zag Otto hoe Franz poedelnaakt een blik witte bonen in tomatensaus rechtstreeks in zijn mond goot.

'Nee Wing, het is nog veel erger...'

Otto en Wing stonden met een dienblad in de hand geduldig te wachten in de rij voor het buffet. De kantine nam de hele grot in beslag en het geluid van honderden etende en kletsende leerlingen weerkaatste tegen de kale rotswanden. Overal stonden grote ronde tafels, met een stuk of zes stoelen eromheen en allemaal beschilderd met het H.I.V.E.S.-

logo. Otto wist niet of dit alle leerlingen waren, maar toen hij snel de tafels telde kwam hij tot de conclusie dat hier nu al meer dan duizend kinderen zaten. Hij kon niet goed zien wat iedereen at, maar er leken allerlei verschillende, veelkleurige gerechten op de tafels te staan en de mix van geuren werd hem haast te veel. Otto's knorrende maag zei dat het niet echt uitmaakte wat er vandaag op het menu stond, zolang het maar een stevige maaltijd was zonder al te veel gevaarlijke gifstoffen erin.

Op een soort podium achter in de eetzaal stond een veel grotere ovalen tafel. Aan het ene eind van die tafel, een uitstekende plek om de hele kantine in de gaten te kunnen houden, zat dr. Nero. De Contessa zat links van hem, en voor het eerst zag Otto nu ook de andere docenten. Aan Nero's rechterhand zat een gerimpelde oude man die eruitzag alsof hij minstens honderd jaar oud was. Hij droeg een witte laboratoriumjas over een tweed pak en zijn haar leek als vuurwerk uit zijn hoofd te ontploffen. Hij had ook een vuurrood vlinderdasje om en een bril op met een heleboel extra glazen aan het montuur die je desgewenst op de juiste plek kon buigen. Naast hem zat een enorme zwarte man met een camouflage-uniform aan, een opzichtige hoeveelheid medailles en lintjes op zijn borst en een zwarte baret op zijn hoofd. Om zijn ene hand leek hij een ijzeren handschoen te dragen, en hij viel de biefstuk op zijn bord aan alsof het eten hem persoonlijk beledigd had.

Maar de opvallendste eter aan de docententafel was geen mens. Tegenover dr. Nero, op een speciale, verhoogde stoel, zat een pluizige witte kat met een glinsterende halsband vol edelstenen. Het beest at uit een zilveren schaal die voor hem op tafel stond en geen van de leraren liet blijken dat ze dit een vreemde gang van zaken vonden. Otto had wel eens gehoord over mensen die hun huisdieren verwenden en ze soms zelfs als mensen behandelden, maar de ereplaats van de kat gaf aan dat zijn baasje hem minstens zo belangrijk vond als de andere mensen aan tafel – misschien nog wel belangrijker. Otto vroeg zich vergeefs af van wie het beestje was, want de Contessa en dr. Nero leken hem bepaald geen liefhebbers van huisdieren.

De rij schoof langzaam vooruit door een deuropening waar 'Bedieningsgedeelte' boven stond. Binnen stonden mannen in witte kokskleding en met schorten voor achter een felverlicht, roestvrijstalen buffet om het eten voor de leerlingen op te scheppen. Zo te zien was er een indrukwekkende hoeveelheid gerechten om uit te kiezen. Omdat er leerlingen van over de hele wereld op H.I.V.E.S. zaten, vermoedde Otto dat de keuken aan allerlei verschillende internationale smaken en dieeteisen tegemoet moest komen. Er stonden tientallen warme schotels uitgestald, allemaal met een ander dampend gerecht erin, en Otto kon lang niet alles benoemen. Net als in de kantine zelf rook al dat eten overheerlijk – het was bijna een beetje te veel van het goede, met de vele geuren van de verschillende kruiden, specerijen en smaakmakers die allemaal om de aandacht van zijn neus vochten. De rij schoof naar voren en Franz was de eerste van de nieuwe leerlingen die aan de beurt was. Toen ze bij de kantine aankwamen was hij er op de een of andere manier in geslaagd om met een indrukwekkende inhaalspurt als eerste bij de rij aan te sluiten.

Ze vorderden gestaag en Otto en Wing maakten snel een keuze uit alle gerechten, pakten bestek en gingen door de uitgang terug naar de kantine. Toen ze om zich heen keken zagen ze dat Franz en het Amerikaanse meisje al aan een tafel zaten; Otto en Wing liepen naar hen toe. Franz zat snel en luidruchtig te schrokken – hij leek het eten bijna van zijn vork zijn mond in te zuigen. Het Amerikaanse meisje daarentegen zat met een ongelukkig gezicht maar een beetje in haar bord te prikken.

'Mogen we erbij komen zitten?' vroeg Otto.

Het Amerikaanse meisje keek op. 'Ga je gang,' antwoord-de ze mistroostig, waarna ze met een zucht weer verder prikte.

Terwijl Otto en Wing aanschoven, vroeg een klein, bedeesd stemmetje achter Otto: 'Mag ik hier zitten?' Het was het kale jongetje met de dikke bril, en hij wees naar de stoel naast Otto.

'Natuurlijk,' antwoordde Otto. De jongen glimlachte en ging zitten. 'Ik ben Otto en dit is Wing.' Otto gebaarde naar Wing, die niet at maar met een zeer wantrouwende blik naar het bord voor zijn neus staarde. 'En jij bent...?'

'Nigel... Nigel Doemduister,' piepte de kale jongen.

Otto moest erg zijn best doen om niet te lachen, want die naam paste absoluut niet bij deze bescheiden jongen. Maar Wing staakte het gepeins over zijn eten en keek Nigel onderzoekend aan zodra hij zijn naam hoorde.

'Ben jij toevallig familie van wijlen Diabolus Doemduis-ter?' vroeg Wing.

'Ja, dat was mijn vader,' antwoordde Nigel met een opge-laten en wat verdrietige blik.

Otto had nog nooit van Diabolus Doemduister gehoord, maar gezien Wings reactie was dat een groot gemis.

'Mijn vader bewonderde hem ten zeerste,' ging Wing ver-der. 'Hij heeft vaak verteld over de avonturen van Doemduister, en het is een grote eer om zijn zoon te mogen ont-moeten.' Nigel keek nu nog ongemakkelijker en zijn gezicht werd knalrood. 'Het was een droevige dag toen hij sneuvelde. Ik wil je mijn diepste medeleven betuigen,' zei Wing oprecht.

'Dank je.' Nigel glimlachte zwakjes. 'Maar ik ben heel anders dan mijn vader. Hij zei altijd dat ik meer in mezelf moest geloven, maar ik denk niet dat ik ooit een echte Doemduister zal worden.'

Wing knikte. 'Ook ik weet hoe het is om in de schaduw van je vader te moeten leven.'

'Wie leeft er in wie z'n schaduw?' vroeg Laura terwijl ze op de laatste vrije stoel ging zitten.

'Volgens mij leven wij allemaal in de zijne,' merkte Otto op terwijl hij richting dr. Nero knikte.

'Jep, daar zeg je me wat.' Laura gebaarde naar haar uitge-breide lunch. 'Maar ze lijken op H.I.V.E.S. in elk geval te begrijpen dat lekker eten de snelste weg naar ons hart is.'

'Nou, met een gaatje links in je borstbeen kom je er ook wel, hoor,' zei Otto glimlachend. Wing begon hoofdschud-dend te grinniken. Het Amerikaanse meisje slaakte een zucht en legde haar vork neer.

'Ik snap niet hoe ze dit allemaal geheim kunnen houden. We hebben nu al honderden mensen gezien en in dat film-pje zeiden ze dat H.I.V.E.S. al bijna vijftig jaar bestaat. Op een gegeven moment klapt er toch iemand uit de school?' Ze pakte haar vork weer op en verschoof het eten nog maar eens over haar bord.

'Er zijn manieren om grote geheimen heel lang te bewa-ren, zegt mijn vader vaak,' verkondigde Franz. Hij hield zijn bord schuin om de laatste kruimels van zijn lunch te

pakken te kunnen krijgen. 'Misschien bedoelde hij het grote geheim dat hij hier zelf ooit naar school is geweest, of
dat hij van plan was mij naar deze vreselijke plek te sturen.'
Hij gebaarde naar de muren om hen heen.

Laura fronste haar wenkbrauwen. 'Dat begrijp ik ook
niet. Waarom zouden mijn vader en moeder hiermee
instemmen? Ik ben niet een of andere jonge superschurk
en ik snap niet dat ze dit goedvinden. Echt heel raar. Ik
bedoel, er stond heus niet op een dag een of andere kerel
op de stoep die zei: "Dag meneer en mevrouw Brand, sorry
dat ik u stoor, maar als u het niet erg vindt zouden we graag
uw dochter ontvoeren en haar opleiden om met alle andere
megalomaantjes de wereld over te nemen.'

'Nou, iémand heeft je opgegeven,' zei het Amerikaanse
meisje. 'Als mijn vader en moeder me hiernaartoe hebben
gestuurd, zullen ze daar vast een goede reden voor gehad
hebben. Ze hebben altijd gezegd dat ik naar de beste school
zou gaan die ze konden vinden, dus dat zal deze dan wel
zijn. Mijn vader zei altijd dat niets goed genoeg was voor
zijn Shelby.'

Het schoot door Otto's hoofd dat de ouders van Shelby
misschien vooral naar een school hadden gezocht die haar
een paar jaar op een beveiligde locatie achter slot en grendel zou houden, liefst zo ver mogelijk bij hen vandaan.
Maar er was iets aan Shelby wat hem dwarszat. Otto had
het altijd meteen door als iemand loog, en ergens zat er bij
haar een addertje onder het gras. Hij had het idee dat ze
iets te verbergen had, alsof haar vervelende karakter maar
toneelspel was. Hij besloot haar eens goed in de gaten te
houden om te zien of hij achter de waarheid zou kunnen
komen.

Er was nog een vraag die aan Otto knaagde. Wie had hém uitgekozen? Iemand had hem hier toch voor geselecteerd, en betaalde op dit moment ook de rekening voor zijn nieuwe leven op H.I.V.E.S. Hij had alleen geen idee wie of waarom, dat was het probleem. Nog een vraag voor op zijn snel groeiende lijstje, dacht hij.

'Mijn moeder zal me wel opgegeven hebben,' zei Nigel. 'Het is altijd al haar grote wens geweest dat ik in mijn vaders voetsporen zou treden. Ze zei vaak dat ik op een dag wel zou leren hoe ik net als hij kon worden. Nu snap ik wat ze bedoelde.' Hij stond zelf zo te zien niet bepaald te springen om Doemduister junior te worden.

'Nou, we zullen allemaal wel iets gedaan hebben om onze plek op H.I.V.E.S. te verdienen,' zei Otto. 'Je hoeft alleen maar uit te zoeken wat dat was.' Hij wist vrij zeker dat de gebeurtenissen van de afgelopen dagen zijn eigen aanwezigheid op het eiland verklaarden, maar hij was benieuwd om welke bijzonderheden de anderen voor H.I.V.E.S. waren gerekruteerd.

Laura keek een beetje ongemakkelijk bij dit gespreksonderwerp. Otto had zo'n vermoeden dat ook zij, ondanks haar eerdere woorden, best wist wat ze had gedaan om een plek op H.I.V.E.S. te krijgen.

Wing was tot nu toe opvallend stil geweest en Otto vroeg zich af waarom hij de aandacht van H.I.V.E.S. had getrokken. Op dit moment leek hij het in elk geval niet met de andere leerlingen te willen delen.

'En jij?' Franz wees met zijn vork naar Otto. 'Wat heb jij gedaan?'

Otto was al bang geweest dat iemand daarover zou beginnen, want hij wist niet precies wat hij tegen de anderen wilde zeggen. Hij kende hen nog niet goed genoeg om alles al te vertellen.

'Ik weet het eigenlijk ook niet. We zullen er allemaal vanzelf wel achter komen waarom we hier zitten.' Tijd voor een ander onderwerp, dacht hij. 'Hebben jullie trouwens dat lokaal gezien onderweg hiernaartoe, met al die...'

Otto werd onderbroken door een stevig getik op zijn schouder. Zijn medeleerlingen staarden allemaal met grote ogen naar iets achter hem. Hij draaide zich langzaam om op zijn stoel en zag twee gigantische jongens staan. Ze hadden allebei heel kort blond stekeltjeshaar en wat ze in de lengte misten, hadden ze extra veel in de breedte. Het was net alsof ze allebei geen nek hadden en hun schouders rechtstreeks in hun kaken overgingen. Ze droegen een blauwe overall waar hun omvangrijke figuur maar nauwelijks in paste, wat overigens niet wilde zeggen dat ze dik waren: ze leken eerder uit een en al spiermassa te bestaan. Otto dacht aan het introductiepraatje van die ochtend – een blauwe overall stond voor de handlangersrichting.

'Da's onze tafel,' zei de eerste bullebak. 'Opzouten... nu.' De blik waarmee hij op Otto neerkeek, suggereerde dat het verstandig was om te doen wat hij wilde, tenzij je toevallig erg dol was op het geluid van brekende botten. Die van jezelf, welteverstaan. Otto staarde terug.

'Sorry,' antwoordde Otto, 'ik spreek geen gorilla's. Misschien kun je beter even een tolk gaan halen.'

Het gezicht van de kolossale jongen werd rood. 'Watte?'

Otto zuchtte. 'Ik zei dat het door jouw beperkte communicatieve vaardigheden erg lastig voor ons wordt om een gesprek van soort tot soort te voeren.' Hij hoorde een schurend geluid toen de anderen rond de tafel hun stoelen bij hem vandaan schoven.

De handlangersleerling draaide zich om naar zijn makker. 'Volgens mij neemt deze worm ons in de zeik, meneer Block.'

'Inderdaad, meneer Tackle. Moest nie mogen. Zullen wij 'm maar 'es even laten zien wat er gebeurt met wormen die niet doen wat wij zeggen?' antwoordde de andere jongen.

Met die woorden draaide de jongen die Tackle heette Otto's stoel om en pakte hem op... met Otto en al. Hij leek zich niet eens in te spannen terwijl hij de zittende Otto tot ooghoogte optilde, alsof hij hem eens wat beter wilde bekijken. Wing wilde opstaan, maar Otto wierp hem een snelle blik toe en schudde heel kort zijn hoofd, waarna Wing met een bezorgde blik weer ging zitten.

'Best een grappig ventje. Bijna zonde om 'm helemaal tot moes te slaan.' Tackle grijnsde gemeen naar Otto.

Otto lachte terug. 'Kun je me misschien een klein stukje laten zakken? Je ademt recht in mijn gezicht en ik heb net gegeten.' Otto wist dat het waarschijnlijk niet erg verstandig was om Tackle zo op de kast te jagen, maar als hij ergens een hekel aan had, dan was het wel een pestkop.

'Misschien kun jij beter je waffel houden. Hoewel het toch moeilijk praten wordt met je bek vol losse tanden.'

'O, hou toch op, joh.' Otto stak zijn hand uit en duwde zijn wijsvinger hard in het zachte vlees onder Tackles oor. Heel even lag er een verbijsterde blik op Tackles gezicht, toen rolden zijn ogen omhoog en zakte hij in elkaar. De stoel viel op de grond met een harde klap die door de hele grot galmde en langs Otto's ruggengraat dreunde. Iedereen in de zaal keek naar hen terwijl Block met grote verbaasde ogen naar zijn vriend staarde, die nu zachtjes op de vloer lag te snurken.

'Ik maak je af!' schreeuwde Block terwijl hij met een moordzuchtige blik als een razende neushoorn op Otto afstormde. Otto stond snel op. Hij had het akelige gevoel dat hij het nu echt iets te bont had gemaakt.

Rechts van hem zag Otto iets langsflitsen en plotseling stond Wing tussen hem en de aanvallende handlanger in. Block kreeg geen kans om te reageren – Wing zakte door zijn knieën en zwiepte met één voet de benen van de bullebak onder zijn lijf vandaan. De enorme jongen werd als een soort projectiel gelanceerd, vloog door de lucht en belandde met een hard gekraak met zijn kin op de rand van de tafel. De andere leerlingen schoten achteruit toen de tafel omkiepte en de resten van hun half opgegeten lunch omlaag gleden en op de slapende Tackle en de kreunende Block terechtkwamen.

Otto stond versteld van de snelheid waarmee Wing had gereageerd.

'Gaat het, Otto?' vroeg hij.

'Prima,' antwoordde Otto. 'Voorlopig tenminste.' Hij keek langs Wing naar dr. Nero en de Contessa die op hen af kwamen lopen.

'Och jee, och jee, och jee.' Nero keek omlaag naar de bewusteloze handlanger en zijn versufte kameraad. 'Ik zie dat u nu al vrienden hebt gemaakt, meneer Malpense.'

Otto vreesde dat het geen goed teken was dat dr. Nero wist hoe hij heette.

'Zij begonnen,' zei Laura verontwaardigd terwijl ze naar Tackle en Block wees.

'En jullie twee hebben het afgemaakt, zo te zien.' Nero keek Otto en Wing doordringend aan en porde met zijn voet tegen het lijf van de bewusteloze Tackle. Block kwam kreunend overeind, zijn hoofd onder de jus.

'Meneer Block, breng meneer Tackle naar de ziekenboeg en zorg dat jullie allebei onderzocht worden,' droeg dr. Nero hem op.

Maak je maar geen zorgen, dacht Otto, aan hun hoofd valt toch niets meer te verpesten.

Block wierp Otto en Wing een moordlustige blik toe, pakte Tackle bij zijn beide armen en begon zijn nog steeds zacht snurkende maat de kantine uit te slepen.

'Wat heeft dit te betekenen, heren?' vroeg de Contessa. 'Leerlingen mogen op H.I.V.E.S. niet zonder toestemming geweld gebruiken, al helemaal niet als ze hier nog maar een paar uur op school zitten.'

'Ik wilde mezelf alleen maar even voorstellen,' antwoordde Otto onschuldig. 'Blijkbaar heb ik hem op de een of andere manier per ongeluk beledigd.'

'Het spijt me zeer, meneer Malpense,' zei Nero terwijl hij Otto priemend aankeek, 'maar ik vind het moeilijk te geloven dat u iets per ongeluk zou doen. Niet echt een veelbelovend begin van uw eerste dag, hè?'

'Nee, dr. Nero. Het zal niet meer gebeuren.' Otto keek naar de grond en deed zijn best om als een schuldbewuste jongen over te komen. Een gevecht met twee geschoren apen als Block en Tackle mocht dan geen probleem voor hem zijn, maar dr. Nero was een ander verhaal. Het was beter als meneer de doctor geloofde dat hij voorlopig even in het gareel zou blijven.

'Dat is je geraden ook. Ik zou het erg vervelend vinden als ik strafmaatregelen moest nemen.' Nero zweeg even. 'Zonde om je leven al zo jong te verspillen.'

Otto was ervan overtuigd dat Nero het niet over gemiste opleidingskansen had.

Hoofdstuk 4

De rest van de dag vloog om. Ze werden in sneltreinvaart van het ene deel van H.I.V.E.S. naar het andere gebracht; ze kregen te zien waar de belangrijkste voorzieningen waren en in welke lokalen hun eerste lessen gegeven werden. Ze hadden zelfs een rondleiding door de ziekenboeg gekregen, die in Otto's ogen meer op een volledig uitgerust miniziekenhuis leek dan op een of ander stoffig kamertje waar de schoolzuster zat. Dat had even een vervelende situatie opgeleverd, toen zij aankwamen op het moment dat Block en Tackle na hun controle net weer weg mochten. Ze hadden Otto en Wing in het voorbijgaan zo dreigend aangekeken dat die voor het eerst bijna blij waren dat de Contessa in de buurt was. Ze wisten nu in elk geval zeker dat ze een toevallige ontmoeting in een of andere afgelegen, verlaten gang van de school moesten zien te vermijden.

Ze waren ook meegenomen naar de sportgrot, waar groepjes uitgeputte scholieren werden opgejaagd door gymleraren die meer op drilsergeanten leken dan op docenten. Elk groepje moest de stormbaan nemen die over de hele lengte van de grot liep en vervolgens meteen in de touwen klimmen die aan het plafond hingen. Otto was nooit zo'n fan geweest van zware lichamelijke inspanning, dus hij verheugde zich niet echt op zijn eerste les in deze grot. Wing leek echter dolgelukkig bij het zien van alle fitnessapparaten en trainingsmaterialen – hij zei zelfs iets vreemds over dat het hem aan thuis deed denken.

Ondertussen legde de Contessa nog steeds van alles uit over de gang van zaken op H.I.V.E.S. en gaf ze antwoord op veel van hun talloze vragen over de school. Otto vond de zaken waar ze niet op inging interessanter dan de vragen waarop ze een duidelijk voorgekauwd antwoord afraffelde. Net als eerder die dag weigerde ze iets te zeggen over vervoer vanaf het eiland of contact met familieleden. Het viel hem ook op dat ze niet wilde zeggen hoeveel mensen er precies op het eiland woonden en welke energiebronnen ze gebruikten. Hij overwoog om erover door te vragen, maar toen Wing hem eraan hielp herinneren dat het antwoord van de Contessa hem waarschijnlijk alleen maar tijdelijke verwarring en geheugenverlies zou opleveren, liet hij dat plan varen.

En zo waren ze uiteindelijk weer in Complotlokaal 2 beland, waar de rondleiding die ochtend was begonnen. Ze zaten allemaal weer om de grote zwarte tafel, maar er was één ding veranderd sinds die ochtend. Op tafel, keurig voor elke stoel één, lagen kleine, matzwarte zakcomputers met het zilveren H.I.V.E.S.-logo op de voorkant. De Contessa ging aan het hoofd van de tafel staan en zei:

'Goed, kinderen, dat was het eind van jullie rondleiding door H.I.V.E.S. Ik weet zeker dat het voor een aantal van jullie wel erg veel indrukken waren, maar je zult zien dat je snel gewend raakt aan het leven op H.I.V.E.S. als je hier wat langer bent. Jullie hebben ongetwijfeld ook nog een heleboel vragen waar nog geen antwoord op is gegeven, en daarom wil ik jullie nog één ding laten zien voor jullie naar je kamers worden gebracht.' Ze hield net zo'n apparaatje omhoog als er voor de kinderen op tafel lag. 'Dit is jullie persoonlijke digitale assistent op H.I.V.E.S., onder de docenten en leerlingen beter bekend als de blackbox. Deze computer is speciaal ontwikkeld om jullie in alle mogelijke opzichten te helpen wennen aan het leven op H.I.V.E.S. en zal de komende maanden van onschatbare waarde blijken. Pas er goed op, en wat er ook gebeurt, raak hem níét kwijt. Pak hem maar – kijk, zo gaat hij open.' De Contessa klapte de voorkant van het apparaatje open.

Iedereen deed braaf wat hem was opgedragen en er klonk een serie bliepjes door de kamer toen alle computers opstartten. Op het scherm van die van Otto was eerst een paar seconden het H.I.V.E.S.-logo te zien, dat vervolgens plaatsmaakte voor het vertrouwde draadgezicht van Brein.

'Goedemiddag, meneer Malpense. Waarmee kan ik u van dienst zijn?' vroeg de zachte stem van de computer.

Overal in het lokaal hoorde je Brein elke leerling bij naam begroeten.

'Je blackbox vormt een directe mobiele interface met Brein en je kunt hem elk moment van de dag of nacht om hulp of advies vragen. Hij weet alles over je rooster en huiswerk dat je misschien nog moet afmaken, en hij kan je ook helpen met alle aspecten van het schoolleven waar je wellicht nog onzeker over bent.

De blackbox is praktisch onverwoestbaar: hij is waterdicht, schokbestendig, vuurvast, bestand tegen straling en schijnt het zelfs in een vacuüm nog te doen. Hij is het allerallerbelangrijkste van al je schoolspullen en je moet hem altijd bij je dragen. Wie dat niet doet, overtreedt de schoolregels en wordt gestraft.'

Otto durfde te wedden dat die strenge regel was ingesteld omdat het waarschijnlijk een stuk makkelijker was om de leerlingen te volgen als ze hun blackbox bij zich droegen.

Ook de naam van het apparaatje vond hij nogal zorgwekkend. Normaal gesproken werd met een *zwarte doos* immers onderzocht wat er bij een vliegtuigramp is gebeurd. Hij vroeg zich af of deze blackboxen daar ook voor gebruikt werden als een leerling een 'ongeluk' mocht krijgen. Maar hij had zo in ieder geval wel een directe verbinding met Brein, en dat zou best nog wel eens van pas kunnen komen.

'Dan breng ik jullie nu zoals beloofd naar het woongedeelte, zodat jullie je kamer kunnen bekijken. Volg mij maar.' De Contessa liep naar de deur van het Complotlokaal en de groep stond op om achter haar aan te gaan.

'Dit,' zei de Contessa, 'is woonblok zeven.'

De grot was groot, met een hoog plafond en in het midden een indrukwekkend open atrium met een stenen vloer. Langs één wand viel een hoge waterval vanuit een kleine opening bij het dak een kristalhelder zwembad in. Rond het atrium stonden groepjes gemakkelijke banken en leunstoelen, en veel daarvan waren bezet door leerlingen die aan hun uniformen te zien uit alle verschillende richtingen kwamen. Sommigen zaten in hun eentje te werken en bladerden door boeken of schreven in schriften, terwijl anderen met elkaar zaten te kletsen of een spelletje deden. Er waren zelfs een paar kinderen aan het zwemmen in het zwembad onder de waterval.

De wanden van de grot waren onderverdeeld in vier verdiepingen met brede galerijen. Aan elk balkon hingen vreemde, kronkelende klimplanten en andere tropische planten. Liften in glazen buizen brachten mensen snel van en naar de verschillende verdiepingen. Op elke galerij kwam een rij witte deuren uit, die af en toe sissend open- en dichtgingen als er een leerling naar binnen of naar bui- ten kwam.

'Hier zullen jullie de meeste tijd doorbrengen als je geen les hebt. Er zijn allerlei gemeenschappelijke voorzieningen waar jullie gebruik van kunnen maken, zoals bijvoorbeeld bibliotheken en spelletjeskamers, maar dat zal jullie blok- oudste verder uitleggen. Even zien, waar is meneer Khan?' De Contessa keek de ruimte rond. 'Ah, daar is hij. Kom maar mee.' De Contessa beende weer weg.

'Nou, dit ziet er... eh... leuk uit,' zei Nigel terwijl ze dwars door het brede atrium achter de Contessa aan liepen.

'Als we maar niet met z'n allen één badkamer hoeven te delen,' antwoordde Shelby.

Het viel Otto op dat deze ruimte net zo groots ontworpen was als alle andere delen van H.I.V.E.S. die ze gezien had- den. Alsof de architect van het instituut expliciet te horen had gekregen dat de leerlingen overweldigd moesten wor- den door de afmetingen, en men de scholieren het gevoel wilde geven dat ze allemaal maar piepkleine radertjes waren in een veel grotere machine. Het was moeilijk om niet onder de indruk te raken van zo'n kolossaal gebouw, maar Otto hield zichzelf voor dat 'groot' niet altijd 'beter' hoefde te betekenen.

De Contessa stond stil bij drie banken die rond een salon- tafel stonden. Er zaten drie oudere leerlingen op, twee jongens en een meisje, en ze waren in zo'n verhitte dis- cussie verwikkeld dat ze de komst van de Contessa niet opmerkten.

'Je kunt me nog meer vertellen. Het is gewoon een man, hij is echt niet onsterfelijk,' zei een lang zwart meisje in een wit uniform.

'Hoe kan het dan dat hij hier na al die jaren nog steeds rondloopt en al die moordaanslagen heeft overleefd?' vroeg een magere jongen met een haakneus en een verticaal litteken over een van zijn ogen. Zijn zwarte overall gaf aan dat hij alfa was.

'En waarom lijkt hij bovendien helemaal niet ouder geworden sinds hij hier is begonnen? Hij zou toch ondertussen minstens zestig of zeventig moeten zijn, maar hij ziet eruit als iemand van in de dertig,' zei de derde leerling, een knappe Indiase jongen met lang donker haar tot op zijn schouders en een perfect driehoekig sikje. Ook hij droeg de zwarte overall van de alfarichting.

'Misschien is het wel niet dezelfde man als vroeger. Misschien veranderen ze om de zoveel jaar gewoon het uiterlijk van een jongere man zodat die op hem lijkt en wordt hij dan stiekem vervangen,' antwoordde het zwarte meisje.

'Ach kom nou, Jo, dat slaat nergens op,' wierp de Indiase jongen tegen. 'Alsof de mensen het verschil niet zouden zien. Echt, geloof me nou maar, het is nog steeds dezelfde vent, en als...'

'Ahum.' De Contessa kuchte en de jongen draaide zich geschrokken om. Toen hij haar zag staan sprong hij onmiddellijk overeind.

'O, pardon, Contessa. We hadden u niet gezien – we hadden het net over... eh...' De jongen keek naar zijn vrienden, alsof hij hoopte dat zij zijn zin voor hem zouden afmaken.

'Ik weet heel goed waar u het over had, meneer Khan, en het lijkt me niet bepaald een geschikt onderwerp om te bespreken waar de nieuwe rekruten bij zijn, denkt u ook niet?' Ze keek hem streng aan.

'Nee, Contessa, u hebt gelijk.' De jongen keek een beetje opgelaten omdat hij in het bijzijn van zijn medeleerlingen een uitbrander kreeg.

'Goed, dan zal ik u nu voorstellen aan onze nieuwste alfarekruten.' Ze gebaarde naar de groep achter haar. 'Ze komen allemaal in woonblok zeven, en ik wil graag dat u hun de indeling van hun vertrekken uitlegt.'

'Natuurlijk, Contessa.' De jongen draaide zich om naar de nieuwe leerlingen en glimlachte breed.

Otto zag dat er zes knopjes op de kraag van de jongen zaten, in twee rijen van drie, als de zes van een dobbelsteen. De andere twee leerlingen met wie de jongen had gepraat hadden ook zes knopjes op hun kraag, en Otto nam aan dat die aangaven in welk jaar een leerling zat, net als het ene knopje bij hem. Het enige verschil was dat de knopjes op Khans uniform van zilver waren, wat waarschijnlijk te maken had met zijn grotere gezag.

'Uitstekend.' De Contessa draaide zich om naar de groep. 'Ik laat jullie allemaal achter in de bekwame handen van meneer Khan. Ik weet zeker dat ik jullie snel weer zal zien in de klas. Vergeet niet je roostertijden op te zoeken in je blackbox, de lessen beginnen morgenochtend vroeg. Wees op tijd.'

Otto voelde zich onwillekeurig opgelucht toen de Contessa wegliep.

'Zo, dus jullie zijn de nieuwe worm... eh, brugklassers? Nou, welkom op H.I.V.E.S. Ik ben Tahir Khan en ik ben de blokoudste van dit woongedeelte.' Tahir leek heel aardig, maar Otto besefte zo langzamerhand wel dat schijn hier vaak bedroog.

'Als ik terugdenk aan míjn eerste dag weet ik zeker dat jullie honderden vragen hebben waar je allemaal meteen een antwoord op wilt, maar ik ben bang dat ik jullie op dit moment waarschijnlijk niet meer kan vertellen dan wat jullie al weten. Je kunt het beste je blackbox gebruiken om Brein alles te vragen wat je niet snapt. Maak je geen zorgen – het lijkt nu misschien nog erg veel, maar je leert hier snel. Je zult wel moeten.' Hij grijnsde naar de groep. 'Dan zal ik jullie nu een van de kamers laten zien, zodat jullie je een beetje kunnen inrichten voordat we gaan eten. Kom maar.'

Hij liep door de grot naar een van de liften. Het was even proppen voor ze er allemaal in zaten, maar uiteindelijk gingen de deuren dicht en schoten ze omhoog naar de vierde verdieping. Tahir bleef staan voor een van de witte deuren.

'Dit is een standaard tweepersoons woonunit, maar wij noemen het cellen,' zei hij met een spottende grijns. 'Maar schrik niet, het is maar een bijnaam. Stiekem zijn ze best oké.' Tahir legde zijn hand op het gladde paneel in de muur naast de deur, dat met een korte piep oplichtte. De deur gleed open.

'We passen er niet allemaal in, dus ga maar rond de deuropening staan, dan laat ik jullie de basisdingen even zien,' ging Tahir verder terwijl hij de kamer in liep.

De kamer was ingericht in wit en zilver en zag er comfortabel uit, maar wel een beetje krap. Vlak bij de deur stonden twee witte bureaus, één aan elke kant van de kamer, met een computerscherm, een muis en een toetsenbord erop. Naast de computers lagen op beide bureaus eenzelfde stapel boeken en een hoopje pennen, schriften en andere schoolspullen. Daarnaast twee roestvrij stalen inbouwkasten, ook weer in spiegelbeeld van elkaar, en uiteindelijk twee eenpersoonsbedden. Tussen de bedden, in de achtermuur, zat een tweede witte deur.

'Je kamer is de enige plek waar je een beetje privacy hebt, dus doe er je voordeel mee. De computers op de bureaus zijn direct verbonden met de Blauwe Reus. O, sorry,' zei Tahir verontschuldigend toen hij de verwarring op hun gezichten zag, 'zo wordt Brein hier ook wel genoemd. En dan je kast. 's Avonds hang je je uniform erin en 's ochtends hangt er een schoon exemplaar. En voor jullie het vragen: nee, ik heb geen idee hoe ze worden verwisseld zonder dat iemand het ooit merkt. Ze verschijnen gewoon uit het niets, lijkt het wel.'

Interessant, dacht Otto.

'Dan de bedden, en achter die andere deur zit de badkamer. Ik ga niet uitleggen hoe alles daar werkt. Jullie zijn alfa's, geen ezels, dus dat moet lukken.' Otto bespeurde een overduidelijke ondertoon van zelfgenoegzaamheid, van arrogantie zelfs, in de manier waarop Tahir dat zei. Hij leek net iets te trots op het feit dat hij een zwart uniform droeg.

'Alle kamers zijn hetzelfde, dus de meeste leerlingen proberen ze zelf een beetje op te leuken. Ik zal je één tip geven: niet verven. Dan gaat de conciërge door het lint en dat wil je echt niet meemaken.' Hij stapte de kamer weer uit en de deur gleed automatisch achter hem dicht. 'Alle deuren zijn gekoppeld aan dit soort handpalmscanners.' Hij wees naar het paneel waar hij net zijn hand op had gelegd. 'Dus je hebt geen sleutels nodig – en da's mooi, want de kans is klein dat je je rechterhand kwijtraakt. Je eerste jaar in elk geval nog niet...' Hij keek bloedserieus bij deze mededeling.

'Met je blackbox kun je aan Brein vragen wat jouw kamer

is en wie je kamergenoot wordt. Jullie hebben nog ongeveer een uur tot het avondeten, dus in die tijd kun je een
beetje rondkijken. Als je hulp nodig hebt ben ik ergens in
de buurt van het atrium te vinden, of je kunt me bellen met
je blackbox. Goed, dat was het wel. Ik moet ervandoor,
anders kom ik te laat voor mijn entertraining. Succes.' Hij
knipoogde naar de groep kinderen en beende weg over de
galerij.

Een paar leerlingen om Otto heen haalden hun blackbox
tevoorschijn en informeerden bij Brein in welke kamer ze
waren ingedeeld. Otto volgde hun voorbeeld en klapte het
apparaatje open.

'Goedemiddag, meneer Malpense. Waarmee kan ik u van
dienst zijn?' informeerde het blauwe gezicht.

'Ook goedemiddag, Brein. Ik wilde graag weten in welke
kamer ik kom,' antwoordde Otto.

'U bent ingedeeld in woonblok zeven, kamer 4.7. Heeft u
verder nog vragen?' vroeg Brein.

'Nee, dat was het voorlopig. Bedankt, Brein.' Het blauwe
gezicht verdween.

Otto zag dat Wing ook met zijn blackbox bezig was en
terwijl hij met het apparaat praatte, gleed er een brede
grijns over zijn gezicht. Hij ving Otto's blik op.

'Het ziet ernaar uit dat we kamergenoten worden, Otto,'
zei hij opgewekt.

'Ik hoop maar dat je niet snurkt,' lachte Otto.

'Als een kettingzaag, mijn vriend, als een kettingzaag,'
antwoordde Wing grijnzend.

Kamer 4.7 was precies hetzelfde als de kamer die ze hadden gezien, net als Tahir al gezegd had. Otto ging aan zijn bureau zitten en bladerde terloops door een van de keurig opgestapelde schoolboeken. Hij bekeek de titels en vermoedde dat hij op de enige school ter wereld zat die dit studiemateriaal gebruikte. *Hoe en wat: Levensgevaarlijke vallen; Doeltreffende dreigementen; Basiscursus slechtheid; Wereldheerschappij: zo doe je het; Het beginnershandboek voor massavernietigingswapens* en nog een paar andere waar hij nog niet naar had kunnen kijken.

Wing zat op zijn bed aandachtig zijn blackbox te bestuderen.

'En, wat hebben we morgen?' vroeg Otto.

'De eerste les is Slechtheidskunde van...' Wing keek even op zijn computer, 'dr. Nero. Dat belooft in elk geval een interessant begin van de dag.'

Otto trok een wenkbrauw op naar zijn nieuwe kamergenoot.

'En daarna?'

Wing keek op zijn blackbox. 'Daarna hebben we Tactiek van kolonel Francisco. Daarna krijgen we na de lunch eerst een praktijkles Technologie van professor Pike en daarna Geheime Operaties van mevrouw Leon.'

'Klinkt als een leerzame eerste dag. Ik sta te popelen om te beginnen.' Otto grijnsde en legde het boek dat hij had bekeken terug op het bureau. Hij liep naar zijn eigen bed tegenover dat van Wing en ging erop zitten. Hij wenkte Wing dichterbij en zei zachtjes: 'We moeten hier weg zien te komen, van dit eiland af, zo snel mogelijk.'

Wing fronste zijn wenkbrauwen. 'Ik ben het met je eens. H.I.V.E.S. is heel indrukwekkend, maar ik heb er geen behoefte aan om de komende jaren van mijn leven in gevangenschap door te moeten brengen.'

'Zo is dat.' Otto knikte. 'Het probleem is alleen hoe we het gaan aanpakken. Ik heb geen enkele uitgang naar boven gezien en ik heb er de hele dag op gelet.'

'Ik ook, maar zelfs als we een uitgang zouden vinden, wat doen we dan als we bovengronds zijn? Ik denk niet dat we genoeg tijd hebben om een vlot te bouwen.'

'Misschien is dat ook niet nodig. Heb je vanochtend dat bordje gezien naar het duikbootdok?' vroeg Otto op een fluistertoon. Hij had de kamer grondig geïnspecteerd zodra de deur was dichtgegaan, maar hij wist nog steeds niet of er ergens afluisterapparatuur verborgen zat. Het leek van niet, maar tot hij het zeker wist ging hij ervan uit dat de muren oren hadden en dat hij uiterst voorzichtig moest zijn met wat hij zei.

Wing keek Otto bedachtzaam aan en gaf fluisterend antwoord. 'Ja, dat heb ik gezien, maar je gaat me toch niet vertellen dat je in een gestolen onderzeeër wilt ontsnappen? Hoe moeten we die besturen? Ik kan me vergissen, maar ik vermoed dat het enige argwaan zal wekken als we om duikbootlessen vragen.'

'Ik kan het wel, daar heb ik geen lessen voor nodig,' zei Otto kalm.

'Weet jij hoe je een onderzeeër moet besturen?' Wing trok een wenkbrauw op.

'Nee, maar ik ben een snelle leerling,' antwoordde Otto met een glimlachje.

'Dat zal dan ook wel moeten. Je moet het me maar niet kwalijk nemen dat ik niet van plan ben mijn leven in de waagschaal te stellen omdat jij toevallig goed kunt improvi-

seren.' Wing leek bijna geïrriteerd dat Otto zoiets belache-
lijks voorstelde.

Otto wist dat Wing dacht dat hij maar wat bazelde. Hij
begreep zijn ongeloof wel, maar Otto wist dat als hij een
paar minuten de tijd kreeg om een voertuig te bestuderen,
hij het kon besturen. Aangenomen dat het fysiek gezien
mogelijk was om dat in je eentje te doen natuurlijk, maar
dat zagen ze wel als het zover was. Hij moest Wing er alleen
van zien te overtuigen dat hij het kon. Hij kon niet zomaar:
'Echt, ik weet heus wel wat ik doe' zeggen als hij zijn nieuwe vriend in feite vroeg zijn leven in Otto's handen te leggen.

'Maar goed, daar hoeven we ons pas druk om te maken
als we een beeld hebben van de beveiliging rondom het
duikbootdok,' zei Otto. 'Aangezien die bordjes er zo open
en bloot naar verwijzen, zijn onze gastheren er blijkbaar
van overtuigd dat ze nergens bang voor hoeven te zijn.'

Wing knikte. 'Ja, de beveiliging wordt hier bijzonder serieus genomen.'

Dat was wel erg zacht uitgedrukt. In elke kamer die ze
tijdens de rondleiding hadden gezien had wel een beveiligingscamera in de hoek gehangen: een stalen bol ter groot-
te van een tennisbal, met een zwart oog in het midden,
omringd door blauwe ledlampjes. Waarschijnlijk waren
die camera's bedoeld om de leerlingen eraan te herinneren
dat dit de ogen van het alziende Brein waren. Je zou jezelf
onzichtbaar moeten maken om ongemerkt door H.I.V.E.S.
te kunnen lopen, of misschien... Otto voelde het vertrouwde gekriebel van een plan dat zich in zijn hoofd begon te
vormen.

'Nou, we moeten onze ogen en oren maar goed openhouden en kijken welke mogelijkheden zich voordoen. En trouwens,' ging Otto verder, 'ik heb je nog helemaal niet bedankt voor het feit dat je tijdens de lunch mijn hachje hebt gered. Ik weet niet wat ik zonder jouw hulp had gemoeten.'

'Je leek de situatie anders heel aardig onder controle te hebben,' antwoordde Wing. 'Die eerste aanvaller heb je bijzonder efficiënt uitgeschakeld.'

'Gewoon een kwestie van op de juiste knopjes drukken.' Otto glimlachte. 'Of liever gezegd, op de juiste kwetsbare bundels van gevoelige zenuwuiteinden.'

'Ik vrees dat we daardoor wel de aandacht op onszelf gevestigd hebben. Dr. Nero leek nogal uit zijn humeur,' zei Wing met licht gefronste wenkbrauwen.

Otto wist wat Wing bedoelde. Otto kwam maar zelden iemand tegen die hij echt als zijn gelijke beschouwde, en als dat wel gebeurde, ging het om mensen die zonder uitzondering in de categorie 'gevaarlijk' vielen. En op dit moment stond dr. Nero met stip op nummer één. Otto moest stiekem zo veel mogelijk over dr. Nero te weten zien te komen, zonder nog meer op te vallen. Hij wist zeker dat je niet op dr. Nero's lijstje van nog af te handelen zaken wilde komen te staan. Ongewild kreeg hij een beeld in zijn hoofd van een gigantische dr. Nero die met een vergrootglas felle zonnestralen op een klein, witharig miertje liet vallen. Hij zette het vlug uit zijn gedachten en stond op van zijn bed. 'Nou, laten we maar hopen dat het avondeten wél rustig verloopt. Trouwens, over avondeten gesproken – we moeten gaan, anders komen we nog te laat.'

Wings opmerking over zijn gesnurk was geen grapje geweest. Otto lag in bed met in elk oor een in allerijl gefabriceerd oordopje van wc-papier. Hij hoorde Wing niet meer, maar hij zou zweren dat hij het bed voelde trillen.

Bij het avondeten was gelukkig niets bijzonders gebeurd. Block en Tackle waren er ook geweest, maar ze hadden een eind verderop aan een tafel met nog meer van die kolossale bullebakken gezeten, die ook allemaal een blauwe overall aan hadden. Als Wing of Otto per ongeluk hun kant op keken, kregen ze meteen een dodelijke blik toegeworpen, maar verder hadden Block en Tackle zich niet met de nieuwe rekruten bemoeid. De bewakers in de grot hadden daar waarschijnlijk ook iets mee te maken gehad. Het bleek ook dat de docenten 's avonds niet met de leerlingen meeaten, want de tafel op het podium was gedurende de maaltijd onbezet gebleven. Otto vroeg zich af waar zíj hun diner nuttigden.

Na het eten hadden hij en Wing een paar uur de tijd genomen om het woongedeelte te verkennen. Ze hadden onder andere een kort potje darts gespeeld, maar nadat Wing negen keer achter elkaar in de roos had gegooid waren ze ermee gestopt. De grote, welbespraakte Aziatische jongen deed Otto telkens weer versteld staan nu ze meer tijd met elkaar doorbrachten. Otto had subtiel geprobeerd iets meer over zijn achtergrond uit hem te krijgen, maar Wing leek er niet over te willen praten en Otto was erover opgehouden. Hij wilde niet dat zijn nieuwsgierigheid hun prille vriendschap zou schaden. En trouwens, als ze geen plan konden bedenken om iets aan hun huidige situatie te doen, hadden ze nog zes lange jaren voor de boeg om alles over elkaar te weten te komen.

Het idee dat Otto koesterde begon heel langzaam vaste vormen aan te nemen in zijn hoofd, maar als hij zich erop concentreerde leek het hem alleen maar te ontglippen. Hij wist dat hij moest ophouden er bewust aan te denken, dan zouden de problemen rond het plan zich vanzelf oplossen. Maar hij was ongeduldig – hij voelde zich opgesloten.

Toen hij in bed lag en het oorverdovende geronk van Wing gelukkig niet meer hoefde aan te horen, merkte hij dat hij in gedachten terugging naar de gebeurtenissen van de afgelopen weken, die uiteindelijk naar zijn aankomst op H.I.V.E.S. hadden geleid. Achteraf gezien was het waarschijnlijk allemaal begonnen met de brief...

Hoofdstuk 5

'Dat kunnen ze niet maken!' riep Otto terwijl hij naar de brief gebaarde die voor hem op het bureau lag. 'Het heeft me jaren gekost om de boel hier een beetje te laten lopen en dan krijgen we dit!'

Hij stond op uit de versleten leren bureaustoel en begon door de kamer te banjeren. Tegen de muren van de oude zolder waren planken bevestigd met daarop talloze boeken en de losse onderdelen van honderden verschillende elektrische apparaten. Midden in de kamer stond een vrouw van middelbare leeftijd in een duur mantelpakje. Haar rode ogen verraadden dat ze had gehuild.

'O, ik ben werkelijk ten einde raad, meneer Malpense. Ik heb de brief meteen naar u gebracht nadat ik hem had gelezen. Die vreselijke mensen willen het weeshuis sluiten en we kunnen er niets tegen beginnen. Ik heb mijn hele leven hier gewerkt en ik weet niet waar ik het moet zoeken als ze het dichtgooien... O, meneer Malpense, het is toch verschrikkelijk...' Hevig snikkend barstte ze weer in tranen uit.

Otto legde zijn hand op haar schouder. 'Maakt u zich maar geen zorgen, mevrouw Grijpgraag, ik bedenk wel iets. Ze hoeven niet te denken dat ze ons zomaar zonder slag of stoot kunnen sluiten. Het is nog niet gedaan met St. Sebastian's.' Hij gaf mevrouw Grijpgraag een zakdoek aan en ze snoot met veel kabaal haar neus.

'Het spijt me, meneer Malpense, maar u weet hoe erg ik

hier over inzit.' Ze snufte en bette haar ooghoeken met de zakdoek. 'En ik heb heus veel vertrouwen in u, maar die brief lijkt zo onherroepelijk. Ik zie gewoon geen oplossing.'

Otto pakte de brief op en las hem snel nog een keer door. Hij stond vol met dure taal en gewichtig jargon, maar uiteindelijk kwam het op één ding neer: het St. Sebastian's Weeshuis zou over twee weken gesloten worden en dat was het definitieve besluit van de gemeenteraad. Er werd iets gezegd over niet-gehaalde doelen en de herverdeling van jeugdzorgsubsidies, maar in Otto's ogen was dat gewoon een excuus. Ze wilden zíjn weeshuis sluiten, en hij had nog maar veertien dagen om hen van gedachten te laten veranderen.

Hij was twaalf jaar eerder in St. Sebastian's terechtgekomen, toen hij midden in de nacht in een wiegje voor de deur was achtergelaten zonder identiteitsbewijs, afgezien van een wit kaartje waar met de hand OTTO MALPENSE op was geschreven. De leiding van het weeshuis kreeg wel vaker met dit soort situaties te maken en had het nachtelijke pakketje zoals altijd aan de politie gemeld, in de hoop dat zij Otto's ouders misschien konden achterhalen. Die zoektocht leverde echter niets op – degene die Otto in die stormachtige, donkere nacht had achtergelaten was spoorloos verdwenen. Omdat hij nergens anders heen kon, werd het vreemde, witharige baby'tje door het weeshuis opgenomen en zo was St. Sebastian's zijn nieuwe thuis geworden.

Toen Otto er net was, was St. Sebastian's in de verste verte niet het beste, modernst uitgeruste weeshuis van Londen. Het was meer dan honderdvijftig jaar geleden gebouwd en al die tijd was het druk bewoond geweest, wat overal in het bouwvallige oude huis zijn sporen had nagelaten. De statige gevel was volledig overwoekerd door klimop en het dak was keer op keer opgelapt met alle materialen die maar voorhanden waren. Ook de binnenkant van het gebouw vertoonde allerlei gebreken. De waterleidingen tikten en rammelden, de krakende vloeren waren ongelijk en het huis was te groot en te oud om echt goed schoon te kunnen houden, waardoor er overal stof leek te liggen. De slaapkamers van de kinderen waren ouderwets ingericht met ijzeren stapelbedden en er was maar één krappe, roestige badkamer per twintig of dertig kinderen. Door de jaren heen was renovatie van veel oudere gedeeltes van het gebouw te duur gebleken, zodat het leek of er kilometers lange, verlaten, stoffige gangen waren die zelden of nooit door iemand gebruikt werden. Op de een of andere manier had St. Sebastian's tot dan toe steeds aan sluiting weten te ontkomen, misschien omdat er verder eigenlijk geen andere weeshuizen meer in de buurt waren. Maar ze hadden steeds minder geld gekregen, en daardoor was het grote oude gebouw steeds sneller in verval geraakt. De leiding leek onderhand meer tijd te besteden aan noodreparaties dan aan de kinderen.

In eerste instantie had Otto een heel normaal kind geleken, op zijn ongewone haarkleur na. Toen hij wat ouder werd, begon het mensen echter op te vallen dat hij een beetje anders was. Toen hij drie was leerde hij zichzelf lezen. Hij zat op de grond van de woonkamer en staarde uren achter elkaar met een ingespannen blik naar een paar boeken die de oudere kinderen hadden laten slingeren. De leiding vond het allemaal reuze grappig.

'Moet je hem nou zien zitten! Het lijkt net alsof hij aan het lezen is,' zei een van de begeleiders.

'Ach, hij aapt gewoon de rest na,' antwoordde een ander.

Maar hij deed niet zomaar wat hij oudere kinderen had zien doen. Terwijl hij naar de letters op de bladzijde staarde, leek het haast alsof zijn hersenen ze simpelweg begrépen. In het begin zeiden de woorden hem niets, maar terwijl hij naar de pagina's tuurde, werd hem steeds duidelijker wat er stond, alsof de kennis op de een of andere manier zomaar zijn hoofd in kroop. En dat niet alleen, want hij onthield elk woord op elke bladzijde die hij had bekeken. Het leek wel alsof zijn hersenen de kennis als een soort vampier uit de boeken zogen.

En dan was er die keer dat hij op zijn vijfde de telefoon van mevrouw Grijpgraag uit elkaar had gehaald. Het kwam op St. Sebastian's wel vaker voor dat de kinderen apparaten sloopten, maar Otto haalde hem niet zomaar uit elkaar. Hij zat midden tussen alle losse onderdelen en zag precies waar elk stukje voor diende en dat ze, als ze op de juiste manier weer werden teruggezet, beter konden functioneren. Toen hij de telefoon uiteindelijk weer in elkaar zette, werkte die inderdaad beter dan ooit tevoren. Pas toen twee maanden later de telefoonrekening in de bus viel, besefte mevrouw Grijpgraag dat ze de afgelopen acht weken voor geen enkel telefoontje had betaald. Ze had navraag gedaan bij de telefoonmaatschappij, en die had geantwoord dat hun systeem geen fouten maakte en dat ze hun tijd niet moest verdoen door te beweren dat ze had gebeld terwijl dat overduidelijk niet het geval was.

Toen hij nog heel jong was, nog voor hij naar school ging, had Otto urenlang elke hoekje en gaatje van het geheimzinnige gebouw verkend. Hij was er griezelig goed in om ongemerkt weg te glippen. Dan ging hij bij de andere kleuters in de woonkamer zitten en speelde op het eerste gezicht gewoon mee. Maar als iemand de begeleider heel even wegriep of er een paar seconden niet werd opgelet, was Otto binnen de kortste keren verdwenen. De eerste keer dat dat gebeurde was er grote paniek uitgebroken en had de leiding van het weeshuis het hele gebouw binnenstebuiten gekeerd om hem te zoeken. Het jochie was in geen velden of wegen te bekennen, ondanks het feit dat het huis en het terrein grondig waren doorzocht. Mevrouw Grijpgraag had op het punt gestaan de politie te bellen om hem als vermist op te geven toen hij de woonkamer weer in was gekuierd. Hij was een paar uur weg geweest en zat van top tot teen onder het stof en roet. Toen ze vroeg waar hij de hele dag was geweest, had hij mevrouw Grijpgraag verbaasd aangekeken en 'Hier' geantwoord. Ze had er nog even over doorgevraagd, maar dat leverde niets op. Na verloop van tijd kwam dit zo vaak voor dat de leiding hem niet eens meer zocht, omdat ze wisten dat hij uiteindelijk toch wel weer tevoorschijn zou komen, ongedeerd en verbaasd of zelfs geïrriteerd dat iedereen zo bezorgd was.

De begeleiders van het weeshuis waren niet de enigen die Otto's opvallende gedrag opmerkten. Het weeshuis lag in dezelfde straat als een van de oudste en grootste bibliotheken van Londen. Net als St. Sebastian's was het een statig gotisch gebouw van honderden jaren oud, en voor Otto voelde het al snel als een tweede thuis. Mevrouw Grijpgraag had het opgegeven om in het weeshuis naar nieuwe boeken voor het vreemde jongetje te zoeken, dat zo snel las dat het net leek alsof hij alleen maar naar de paginanummers keek. Daarom nam ze hem zo veel mogelijk mee naar de bibliotheek, waar hij toevertrouwd werd aan meneer Littleton, de bibliothecaris en een goede bekende van mevrouw Grijpgraag. Meneer Littleton vond het prima om op Otto te passen – het jongetje was hem absoluut niet tot last, zei hij. Hij zat gewoon de hele dag door de boeken te bladeren, zonder zich ergens om te bekommeren.

In het begin geloofde niemand dat een kind van Otto's leeftijd daadwerkelijk in dat tempo boeken kon lezen en begrijpen. Maar toch was het zo, hoewel hij niet las zoals gewone mensen dat doen. Net als toen hij voor het eerst leerde lezen, leek het wel alsof de inhoud van het boek dat hij bekeek zo van de bladzijde zijn hoofd in sprong. Hij kon het niet uitleggen, maar hoe meer hij las, hoe meer hij wist, en hoe meer hij wist, hoe beter hij begreep wat hij al had gelezen. En hij las letterlijk alles, van Tolkien tot Tolstoj, van Sun Tzu tot de *Sunday Times*. Meestal koos hij elke dag één bepaald gedeelte van de bibliotheek uit en verslond dan hele boekenkasten achter elkaar. De mensen van de bibliotheek maakten grapjes met elkaar over het gekke knulletje dat daar op de grond zat en omringd door stapels boeken en kranten net deed alsof hij aan het lezen was. Hij zal wel niet helemaal honderd procent zijn, zeiden ze tegen elkaar, maar hier voelt hij zich in elk geval thuis en op zijn gemak. Behalve dan meneer Littleton, die na een tijdje besefte dat Otto de boeken wel degelijk las, ze bijna opslorpte. Maar toen hij dat aan zijn collega's probeerde te vertellen, dachten die dat hij net zo gek begon te worden als dat rare jochie. Af en toe, als meneer Littleton Otto ergens zittend in een gangpad tegenkwam, bleef hij wel eens staan om een bepaald boek van de plank te pakken en aan hem te geven.

'Vergeet deze niet, die moet je echt lezen.'

'Dank u wel, meneer Littleton,' antwoordde Otto steevast, terwijl hij met die opvallend volwassen blik van hem naar de oude bibliothecaris glimlachte en het boek boven op een van de stapels om zich heen legde.

Door dit alles was normaal onderwijs eigenlijk niet meer van toepassing op Otto. De andere wezen werden gewoon naar de plaatselijke school gestuurd, maar het werd al snel duidelijk dat Otto toch een tikkeltje verder was dan zijn klasgenoten. Hij had in de bibliotheek over zo veel verschillende onderwerpen gelezen dat hij op zijn tiende de meeste vakken beter beheerste dan de leraren. En die vonden het op hun beurt niet erg prettig om constant verbeterd te worden door een tienjarig jochie, zodat de directeur van de school uiteindelijk een klacht indiende bij mevrouw Grijpgraag. Zij ontbood Otto op haar kantoor.

'Wat moet ik toch met jou aan, Otto?' had ze met een bezorgde blik gevraagd.

'Hoezo, is er iets aan de hand, mevrouw Grijpgraag?' antwoordde Otto, zich schijnbaar oprecht van geen kwaad bewust.

Ze bekeek de papieren op haar bureau. 'Het ziet ernaar uit dat een aantal van jouw leraren... nee, dat ál jouw leraren hebben geklaagd dat je hun lessen verstoort. Is dat zo?' Ze keek hem streng aan.

'Nou ja, als je hun jammerlijke onbekwaamheid storend noemt, dan is het wel zo, denk ik.' Otto keek haar recht in de ogen. Mevrouw Grijpgraag was er de afgelopen jaren aan gewend geraakt dat Otto zo praatte – slim maar bot – en ze snapte wel dat zijn leraren er niet tegen konden.

'Otto, je bent nog maar tien – het is niet aan jou om te zeggen of je leraren goed of slecht zijn. De andere kinderen hebben nergens last van,' ging ze licht geërgerd verder.

'Ik ben niet zoals de andere kinderen, dat weet u best. Ze doen er zó verschrikkelijk lang over om alles te snappen dat ik me ga vervelen. Ik kan er ook niets aan doen dat ik beter ben dan zij,' antwoordde Otto nuchter. 'Ik heb alles al geleerd wat er in de lessen wordt behandeld en ik vraag me af wat ik daar eigenlijk doe.' Opstandig sloeg hij zijn armen over elkaar.

'Doe niet zo gek. Je kunt niet zonder opleiding verder, Otto. Wat denk je dat er gebeurt als je hier weggaat terwijl je helemaal geen diploma's hebt?' Mevrouw Grijpgraag kon er nauwelijks bij dat ze deze discussie met iemand van Otto's leeftijd voerde.

'O, ik bedenk wel iets, mevrouw Grijpgraag.' Otto wist dat hij zich geen zorgen hoefde te maken over diploma's en examens. Die waren voor gewone kinderen, en hij wist nu al heel zeker dat hij allesbehalve gewoon was.

'Wat zou je dan willen doen?' vroeg ze, en stiekem hoopte ze dat hij met een werkbaar voorstel zou komen, want zelf kon ze geen goede oplossing verzinnen. Als Otto zich zo bleef misdragen zou hij van school gestuurd worden en dan zou men zich misschien ook gaan afvragen of zij zelf wel goed voor de kinderen zorgde.

'U zou mijn lerares kunnen worden,' opperde Otto.

Ze keek hem met een meewarig glimlachje aan. 'Ik geef al heel lang geen les meer, Otto. En als de leraren op school niet goed genoeg voor je zijn, wat moet je dan wel niet van mij denken?'

'O, maar ik bedoel ook niet dat u echt zou moeten proberen mij les te geven. Dat heeft geen zin, dat ben ik helemaal met u eens. Nee, we kunnen beter gewoon zeggen dat u me hier in het weeshuis privéonderwijs gaat geven, om geen argwaan te wekken,' zei Otto bedachtzaam.

'Maar wie gaat je dan wél lesgeven?' Mevrouw Grijpgraag begreep er niets van.

'Ikzelf,' zei hij kalm. 'De meeste leraren op school lezen gewoon het boek hardop voor. Dat kan ik zelf ook wel, en nog een stuk sneller ook. U kunt gewoon zeggen dat u me privéles geeft. Niemand hoeft te weten dat het niet zo is.' Hij leek erg in zijn nopjes met dit idee.

Mevrouw Grijpgraag dacht even na over Otto's voorstel. Er zat inderdaad wel iets in, ook al was het niet helemaal eerlijk. Wie Otto een beetje kende, wist meteen hij geen traditioneel onderwijs wilde of nodig had, en op deze manier zouden er in elk geval geen lastige vragen over haar weeshuis worden gesteld. Als iedereen dacht dat zij een ogenschijnlijk wonderkind lesgaf, zou dat haar reputatie zelfs alleen maar ten goede komen. Ze keek Otto onderzoekend aan.

'Stel dat we doen wat jij voorstelt. Jij zegt tegen iedereen dat ik jou lesgeef, en alleen wij tweetjes weten hoe de vork in de steel zit.'

'Het wordt ons geheimpje, mevrouw Grijpgraag,' glimlachte Otto. 'Ik kan me zo voorstellen dat er een soort subsidie is voor mensen die goed onderwijs geven aan een leerling zoals ik. En een flinke subsidie ook, wel een paar duizend pond per jaar lijkt me, als het niet meer is...'

Het leek wel alsof er een knop werd omgezet in het hoofd van mevrouw Grijpgraag. Er gleed een korte, berekenende blik over haar gezicht en ze probeerde tevergeefs een glimlachje te onderdrukken.

Otto had niet alleen boeken en apparaten meteen door, maar mensen ook. Als hij met iemand praatte, voelde hij de ander haarfijn aan en wist hij precies wat hij moest zeggen om zijn zin te krijgen. Bij mevrouw Grijpgraag was het verbazingwekkend simpel: zij was trots en hebzuchtig, de twee beste gevoelens om op in te spelen als je iemand probeert te manipuleren. Dat had hij van Machiavelli geleerd.

'O, het zal wel niet zoveel zijn.' Haar gezicht verraadde dat ze iets anders vermoedde. 'Ik zal wel even informeren. Ik kan niets beloven, maar het kan nooit kwaad om die mogelijkheid eens wat nader te bekijken.'

'Ik hoop echt dat het gaat lukken,' antwoordde Otto. 'Volgens mij zou het voor iedereen veel beter zijn.'

Vooral voor mij, dacht hij bij zichzelf.

Het verbaasde Otto niets dat zijn privélessen met mevrouw Grijpgraag vervolgens bijna ongehoord snel werden geregeld. Het viel hem ook op dat haar kleren er opeens een stuk duurder uitzagen, en af en toe ving hij een glimp op van een nieuw, glinsterend sieraad om haar pols of hals. Hij was duidelijk een winstgevende leerling. Het maakte hem niet uit dat ze het geld aan zichzelf besteedde – misschien was het zelfs wel beter, want blijkbaar wilde ze net zo graag als hij dat hun 'regeling' geheim bleef.

En zo kwam het dat Otto de drie jaren daarna in feite kon doen en laten wat hij wilde. Hij had niet gelogen tegen mevrouw Grijpgraag: hij was echt van plan om zelf verder te leren, en in de maanden die volgden zette hij daar dan ook flink zijn tanden in. Hij las nog steeds alles wat los en vast zat en zocht de grenzen van zijn kennis op door te experimenteren met de bouw van steeds ingewikkelder apparaten en machines, die hij zelf ontwierp. Telkens als hij tegen een probleem opliep dat hij niet begreep, zocht hij net zo lang tot hij het antwoord gevonden had, of hij bestudeerde de theorie die tot het antwoord zou kunnen leiden. Toen zijn experimenten steeds moeilijker werden, kwam hij algauw tot de conclusie dat hij een grotere ruimte nodig had waar hij in zijn eentje ongestoord zou kunnen werken. Hij besloot de enorme zolder van het weeshuis daarvoor in te richten. De ruimte onder het dak was alleen bereikbaar via een smal trappetje dat was weggestopt in een hoekje van de bovenste verdieping. Toen hij zag in welke staat de kamer verkeerde, wist hij bovendien vrij zeker dat daar al jaren niemand meer was geweest. De zolder voldeed precies aan Otto's eisen en hij was een paar weken bezig om alle troep op te ruimen die zich hier de afgelopen jaren had opgehoopt, en om de ruimte aan zijn wensen aan te passen. Hij had zelfs op geheel eigen wijze de deur versierd. Hij wist niet precies waarom hij het bureau en de grote leren stoel in de kamer had gezet, maar ze leken er gewoon bij te horen, net als de wereldkaart die hij aan de muur erboven had gehangen.

Hij bleef hard leren, maar versterkte tegelijkertijd ook zijn banden met de andere kinderen in St. Sebastian's. Vooral met degenen die hij nog wel eens nodig zou kunnen hebben. Veel van de andere wezen, ook degene die een paar jaar ouder waren dan Otto, leken hem als een soort leider te beschouwen. In eerste instantie begreep hij niet zo goed waarom. Maar de kinderen zagen hem als een jongen die blijkbaar niet naar school hoefde, die zelfs alles leek te kunnen doen wat en wanneer hij maar wilde en op wie mevrouw Grijpgraag vreemd genoeg nooit boos leek te willen worden. Een uitstekend voorbeeld, vonden ze.

St. Sebastian's raakte ondertussen steeds meer in verval. Een paar delen van het gebouw, die eerst nog gewoon wat bouwvallig en gammel genoemd konden worden, waren nu ronduit onveilig. Otto was vastbesloten om te proberen de aftakeling te stoppen en had een nieuw plan bedacht om het oude gebouw zo veel mogelijk in oude glorie te herstellen. Niet dat hij zelf zijn mouwen opstroopte om te gaan klussen, want dat zou akelig dicht in de buurt komen van hard werken. In plaats daarvan nam hij allerlei bedrijven uit heel Londen in dienst die maar wat graag wilden geloven dat de BBC een programma aan het maken was over de renovatie van het weeshuis. Het sprak voor zich dat zij voor zo'n goed doel hun werk helemaal gratis deden. Dat programma, *Denk aan onze kinderen*, had Otto natuurlijk volledig uit zijn duim gezogen, maar hij had ontdekt dat je met een overtuigende leugen, wat officieel uitziend briefpapier en een anoniem postbusnummer een heleboel gedaan kon krijgen. En de donaties van bedrijven gingen verder dan alleen de restauraties. In de maanden daarna ontving het weeshuis gratis boeken, dvd's, spelcomputers, televisies, stereo-installaties, sportspullen en nog een heleboel andere goedbedoelde giften. Otto had zelf geen interesse in al die spullen en gebruikte ze om de andere kinderen op St. Sebastian's tevreden te houden. Dan hoefde hij tenminste niet bang te zijn dat ze hun neus te diep in zijn zaken zouden steken of inspecteurs naar het weeshuis zouden laten komen met verhalen over gebrekkige voorzieningen of slechte verzorging.

Maar nu hij in zijn eentje achter zijn bureau de onheilspellende brief nog eens overlas die die ochtend was bezorgd, vreesde hij dat al zijn moeite voor niets was geweest. Hij was net na jaren zwoegen weer blij met het vernieuwde St. Sebastian's, en nu probeerde een of andere anonieme ambtenaar hem dat allemaal weer af te pakken. Het zou eindeloos duren voor hij in een ander weeshuis weer zo'n fijne plek had gecreëerd; hij had helemaal geen tijd en zin om weer van voren af aan te beginnen. En zonder zo'n makkelijk te beïnvloeden directrice als mevrouw Grijpgraag zou dat misschien ook wel helemaal niet lukken. Er moest een manier zijn om de sluiting tegen te houden, hij moest er alleen achter zien te komen hoe...

MINISTER-PRESIDENT MAAKT WERK VAN JEUGDZORG, was de kop van het krantenartikel dat Otto aan het lezen was. Het stuk vatte keurig samen hoe de grootschalige veranderingen in de landelijke weeshuizen een persoonlijke missie waren van de minister-president. Hij bleek in zijn eentje de drijvende kracht achter het razende tempo waarmee deze nieuwe plannen door het parlement waren geloodst. De wetsvoorstellen waren niet erg populair bij de rest van zijn partij, maar door de persoonlijke bemoeienis van de premier waren ze er toch doorgedrukt. Otto legde de krant weer neer en dacht na over het idee dat zich in zijn hoofd aan het vormen was. Het was riskant, roekeloos en zelfs onzinnig, maar het was de enige oplossing van alle moge- lijkheden die hij had overwogen.

Hij drukte op het knopje van de kleine intercom op zijn bureau. Na een korte pauze gaf de stem van mevrouw Grijpgraag antwoord.

'Dag, Otto. Kan ik iets voor je doen?' Ze klonk nog steeds overstuur.

'Zeker, mevrouw Grijpgraag. Zou u Tom en Penny naar boven kunnen sturen?' vroeg Otto beleefd.

'Natuurlijk, Otto.' De verbinding werd verbroken. Otto leunde achterover in zijn stoel en probeerde de details van zijn plan uit te werken.

Een paar minuten later werd er zacht op de zolderdeur geklopt.

'Kom binnen,' zei Otto op luide toon, en Tom en Penny liepen de kamer in. Tom was de oudste van de twee, een knappe jongen die lang was voor zijn leeftijd. Penny was ongeveer even oud als Otto en zag eruit als het liefste, schattigste meisje van de hele wereld. Als die twee bij je op bezoek zouden komen, zou je beslist denken dat ze de onschuld zelve waren. Om er pas veel later achter te komen dat het zilverwerk op mysterieuze wijze was verdwenen, en de dvd-speler ook.

'Goeiemorgen,' zei Otto vrolijk. 'Ik heb een klein bood- schappenlijstje en ik vroeg me af of jullie een paar dingen voor me zouden kunnen halen, als jullie het niet te druk hebben.'

'Tuurlijk, Otto. Wat heb je nodig?' antwoordde Tom, die zichtbaar graag wilde helpen.

'O, geen al te ingewikkelde dingen, hoor – wat nieuwe onderdelen, een paar boeken, software, je kent het wel.' Otto gaf Penny een papiertje. 'Daar staat alles op. Laat het me maar even weten als je iets niet begrijpt.'

Penny las de lijst zorgvuldig door. 'Moet geen probleem zijn, Otto. Kost misschien wel een paar dagen.'

Otto had de twee kinderen zorgvuldig uitgekozen voor deze taak, omdat ze een aantal unieke kwaliteiten hadden waarmee ze zich onderscheidden van de anderen. Ze leken simpelweg aan alles te kunnen komen wat Otto nodig had, hoe ongewoon of obscuur het ook was. Hij was ervan overtuigd dat als hij tegen hen zei dat ze het Londense reuzenrad uit elkaar moesten halen en in de tuin van het weeshuis weer moesten opbouwen, ze het nog zouden proberen ook. Maar ze hielden allebei altijd bij hoog en laag vol dat ze nooit iets stalen – ze konden andere mensen gewoon heel goed overreden om hun te géven wat ze wilden hebben.

Otto hield altijd goed in de gaten of er nog meer kinderen in het weeshuis waren die ook over dit soort unieke 'kwaliteiten' beschikten. Hij had gemerkt dat mensen kinderen veel eerder vertrouwden, en dat kon erg goed van pas komen als je het op de juiste manier wist uit te buiten. Bovendien waren dit ook nog eens wezen, en daardoor wekten ze al helemaal geen argwaan bij de meeste vriendelijke volwassenen. Otto zei dat de kinderen geen openlijk criminele dingen moesten doen, want dan zouden ze veel te snel ongewenste aandacht trekken. Maar je mocht best wat liegen en bedriegen om te krijgen wat je hebben wilde.

Penny gaf de lijst aan Tom, die hem vlug bekeek. 'Waar heb je dat allemaal voor nodig?' vroeg hij met licht gefronste wenkbrauwen.

'O, niets bijzonders. Ik wil gewoon een paar experimenten uitvoeren.' Otto was niet van plan om hun te vertellen wat hij wilde gaan doen – ze zouden waarschijnlijk alleen maar denken dat hij stilletjes krankzinnig geworden was, hier in zijn eentje op zolder.

'Oké.' Tom leek niet helemaal tevreden met het antwoord dat hij had gekregen. 'Maar zoals Penny al zei, het kan wel even duren.'

'Een paar dagen is geen probleem,' antwoordde Otto. 'Als jullie er maar voor zorgen dat jullie geen sporen achterlaten die hiernaartoe kunnen leiden.' Zijn plan zou alleen werken als het een volslagen verrassing zou blijven. Hij kon zich geen fouten permitteren. 'En als het jullie lukt om alles op die lijst bij elkaar te krijgen, zit er een bonus bij jullie zakgeld deze week. Een flinke bonus.'

Tom en Penny glimlachten allebei toen ze dat hoorden.

'Dat zou fijn zijn,' antwoordde Penny. 'En we kunnen ook wel een nieuwe tv gebruiken op de meisjesslaapzaal.'

'Ik zal kijken wat ik voor je kan doen.' Otto glimlachte naar haar. 'Hoe sneller jullie alles op die lijst voor me halen, hoe groter de televisie. Wat dacht je daarvan?'

Penny knikte en lachte terug. 'Lijkt me een eerlijke deal. Kom op Tom, laten we maar gauw gaan.'

Toen ze de trap afliepen sloeg Otto de krant weer open. Daar was de andere kop die die ochtend zijn aandacht had getrokken:

PREMIER NAAR PARTIJCONGRES IN BRIGHTON.

In het artikel stond dat dit volgens veel verslaggevers wel eens de lastigste toespraak van de minister-president aan zijn partij tot nu toe zou kunnen worden. Otto keek naar de foto ernaast waarop de premier met een vermoeide en gestresste blik zijn ambtswoning uit kwam.

'Het wordt nog veel lastiger voor je,' zei Otto tegen zichzelf terwijl hij naar de foto staarde. 'Wacht maar af... wacht maar af.'

Binnen een paar dagen was de missie van Tom en Penny geslaagd en hadden ze alle spullen waar Otto om gevraagd had. Zoals gewoonlijk lieten ze weinig los over hoe ze aan de soms nogal bijzondere dingen op de lijst waren gekomen, maar Otto ging ervan uit dat ze onopvallend te werk waren gegaan. Daarna hoefde hij alleen nog maar met alle verschillende onderdelen het apparaatje in elkaar te zetten waar zijn plan om draaide. Hij wist dat de theorie achter het ontwerp klopte, maar hij moest nog een paar testen uitvoeren voor hij er zeker van kon zijn dat alles naar wens zou verlopen. Desondanks voelde Otto zich heel kalm, zoals altijd wanneer hij aan een nieuwe uitvinding werkte.

Mevrouw Grijpgraag daarentegen leek rechtstreeks op een zenuwinzinking af te stevenen. Otto kon zeggen wat hij wilde, maar het lukte hem niet haar ervan te overtuigen dat het weeshuis gered kon worden. Ze leek er zelfs steeds meer in te berusten dat het gesloten zou worden. Otto vermoedde dat ze vooral erg zenuwachtig was voor de boekhouders die de rekeningen van het weeshuis zouden nalopen. Als die bewijzen vonden voor het feit dat ze de subsidies die eigenlijk voor Otto's privélessen bedoeld waren aan heel andere dingen had besteed, zou dat haar in een lastig parket brengen.

Ondertussen deden er allerlei geruchten de ronde. Het leek wel alsof Otto in de gang om de vijf meter door een van de andere kinderen werd aangeklampt, omdat ze wilden weten wat er waar was van de roddels die ze hoorden. Otto probeerde geen antwoord te geven op al die vragen – als zijn list zou werken, hoefden ze zich nergens zorgen om te maken. Helaas kwam hij daardoor heel onverschillig over, en dat maakte iedereen alleen nog maar zenuwachtiger.

Met nog maar één dag te gaan had Otto eindelijk zijn onmisbare nieuwe apparaat af. Hij stond bij de werkbank op zolder en was druk bezig alle spullen die hij de komende dagen nodig zou hebben in een rugzak te stoppen. Er werd op de deur geklopt en zonder op te kijken riep Otto: 'Binnen.' Mevrouw Grijpgraag kwam de kamer in.

'Wilde je me spreken, Otto?' Ze klonk en oogde vermoeid.

'Dat klopt, mevrouw Grijpgraag. Ik wilde u even laten weten dat ik de komende dagen niet aanwezig zal zijn. Ik heb een paar dringende zaken af te handelen.' Hij ging verder met inpakken.

'O, Otto, moet je echt weg? Ik weet niet of ik het wel red in mijn eentje met al dat gedoe.' Ze zag eruit alsof ze elk moment weer in huilen uit kon barsten. Otto liet zijn tas even voor wat hij was en liep naar mevrouw Grijpgraag toe. Hij legde een geruststellende hand op haar schouder.

'Maakt u zich maar geen zorgen, mevrouw Grijpgraag. Het is maar voor een paar dagen en als alles volgens plan verloopt, hoeven we daarna nooit meer bang te zijn dat ze zullen proberen de boel dicht te gooien.' Hij glimlachte zijn zelfverzekerdste glimlach.

'Maar waar ga je dan heen?' vroeg mevrouw Grijpgraag.

Otto grijnsde. 'Naar zee, mevrouw Grijpgraag. Ik ga de politiek in.'

Hoofdstuk 6

De reis naar de kust was zonder problemen verlopen. Otto had de trein genomen naar een hotelkamer die hij via internet had geboekt. Het was een eenvoudige kamer, maar hij was niet van plan om hier de nacht door te brengen, dus dat was verder niet van belang. Hij had alleen een rustige plek nodig waar hij later die dag zijn spullen kon opstellen. Zodra hij zich had geïnstalleerd en twee keer gecontroleerd had of alles goed werkte, ging hij op weg naar de boulevard om zijn doel te verkennen.

Otto had het congresgebouw moeiteloos gevonden. Het werd zo zwaar bewaakt dat je het nauwelijks kon missen. Een paar dagen geleden had hij de commandant van de ordetroepen op televisie uitgebreid horen opscheppen over het 'ijzeren kordon' dat rond het congrescentrum was opgetrokken. De man had beweerd dat het onmogelijk was om zonder toestemming ook maar in de buurt van het gebouw te komen, en bovendien had hij het volste vertrouwen in de systemen en procedures die ze hadden opgesteld. Die woorden werkten bij Otto natuurlijk als een rode lap op een stier. Hij wist heel goed dat naarmate een beveiligingsoperatie groter en ingewikkelder werd, de kans steeds groter was dat er ergens een piepklein gaatje zat waar hij gebruik van kon maken.

Maar Otto was niet van plan om te proberen het gebouw in te komen – hij wist dat dat praktisch onmogelijk zou zijn. Nee, hij moest alleen een goed plekje zien te vinden om zijn apparaatje achter te laten, dan werd de rest een makkie. Hij slenterde over de boulevard, vlak voor de eerste beveiligingsposten, en zocht naar een geschikte plek. Toen ontdekte hij een putdeksel, een paar honderd meter van het congresgebouw. Hij liep ernaartoe en zocht ondertussen naar het kleine zakje in zijn rugzak waar het apparaatje in zat. Hij haalde een zilverkleurig, metalen bolletje tevoorschijn, ongeveer zo groot als een pingpongbal, en glimlachte in zichzelf. Dit werd echt een eitje. Hij knielde naast het putdeksel, alsof hij zijn veters wilde strikken, en toen hij zeker wist dat er niemand naar hem keek liet hij het balletje in de put vallen. Langzaam strikte hij de veters van zijn gympen, voor het geval hij toch in de gaten werd gehouden. Toen hij ervan overtuigd was dat niemand had gezien wat hij had gedaan, stond hij op en liep terug naar de boulevard, weg van het congrescentrum. De toespraak van de premier zou over een uur beginnen. Hij had nog genoeg tijd om terug naar zijn hotelkamer te gaan en zich voor te bereiden – nu zou het pas echt leuk worden.

Otto keek of er niemand door de gang liep en ging toen zijn kamer in. Hij gooide zijn rugzak op het bed en zag tot zijn opluchting dat alles er nog precies zo bij lag als hij het had achtergelaten. Hij zette de laptop aan die op het bureau stond en die met een kort kabeltje verbonden was aan een soort kleine, zilverkleurige schotelantenne. De computer startte op en na een tijdje verscheen er een venster waarin de woorden WACHT OP INSTALLERING knipperden. Otto voerde een paar diagnoseprogramma's uit en zag tot zijn vreugde dat de besturingsinterface van het apparaat geheel naar behoren leek te werken. Hij pakte een blikje cola uit de minibar en ging voor de computer zitten. Vervolgens typte hij een andere opdracht in, waarna er een nieuwe tekst verscheen in het statusvenster: BEWEGEND OBJECT WORDT GEÏNSTALLEERD.

Ongeveer achthonderd meter verderop bij de boulevard, onder in de put die Otto eerder die dag had ontdekt, leek het bolletje doormidden te breken – rondom de buitenkant ontstond een scheur van een paar millimeter breed. Uit de spleet gleden acht piepkleine metalen pootjes die even ronddraaiden en toen op de juiste plek vastklikten, zodat het bolletje eruit kwam te zien als een soort kruising tussen een spin en een speldenkussen.

Terug in zijn kamer was Otto apetrots op zichzelf. Het apparaatje was verschrikkelijk ingewikkeld – hij had een enorme hoeveelheid technologie in een piepklein voorwerp moeten stoppen – maar alles leek het uitstekend te doen. Hij had het natuurlijk wel getest op de zolder van St. Sebastian's, maar toch was het een opluchting om te zien dat het ding ook in de praktijk deed waarvoor het was gemaakt. Hij tikte een opdracht in en er verscheen een nieuw venster op zijn scherm. Daarop zag hij een korrelig beeld dat door een gaatjescamera op de buitenkant van het apparaatje werd doorgegeven. Otto liet het bolletje langzaam langs alle windrichtingen draaien om een beter beeld te krijgen van zijn directe omgeving. Hij wist dat het congrescentrum een paar honderd meter naar het noordoosten van de put lag, en hij zag algauw een pijp die ongeveer in die richting liep. Hij duwde de controlstick die aan zijn computer was verbonden naar voren en het bolletje begon door het riool richting het congresgebouw te schuifelen. Af en toe ging hij een zijpijp in van de buis waar het apparaatje op dat moment in zat, zodat hij de juiste koers aan zou houden.

Het duurde even voor Otto het bolletje zorgvuldig door het ondergrondse netwerk van pijpen en buizen naar zijn bestemming had geleid. De indeling van het riool had er op de kaarten die Otto te pakken had gekregen heel rechtlijnig uitgezien, maar het was toch een stuk moeilijker dan hij had gedacht om de juiste weg aan te houden in het netwerk van donkere tunnels.

Hij werd net bang dat hij ergens misschien een verkeerde afslag had genomen toen hij zijn doel zag. Er kwam een zwak licht uit een kleine opening verderop in de pijp, en Otto wist dat dat betekende dat hij precies op de juiste plek was. Hij stuurde het bolletje zorgvuldig naar de opening, en het licht werd steeds sterker toen hij het gat aan het eind van de buis naderde.

Otto duwde weer tegen de controlstick en het apparaatje begon langs de glibberige wanden van de buis omhoog te klimmen.

'Hansje pansje kevertje, die klom eens door een buis...' zong Otto zachtjes tegen zichzelf toen het apparaat de bovenkant van de pijp bereikte. Hij drukte een toets in en de camera kwam op een lang, buigzaam steeltje het bolletje uit. Otto liet de camera ronddraaien en gluurde over de rand van wat, zo bleek nu, de afvoer van een witbetegelde douchecabine was. Gelukkig stond er niemand in, en terwijl hij de camera weer introk liet hij de robotspin uit de afvoer kruipen. Hij keek naar de uitgeprinte blauwdrukken van het congrescentrum, die plat op het bureau naast de computer lagen. Het had heel wat moeite gekost om de plattegronden zonder argwaan te wekken in handen te krijgen. Otto dacht dat ze misschien niet meer helemaal actueel waren, maar hij hoopte dat hij ze toch kon gebruiken voor zijn plan. Toen hij de plattegrond bestudeerde, besefte Otto dat het apparaatje in de douches bij de kleedkamers van het zwembad terecht was gekomen. De dichtstbijzijnde toegang tot de airconditioning was in de kleedkamer zelf, en dus stuurde Otto het bolletje vlug over de vloer van de douchecabine richting zijn doel.

In de kleedkamer waren meerdere mannen zich aan het omkleden. Otto deed erg zijn best om niet naar hun halfnaakte, blubberige lijven te kijken terwijl hij het bolletje door de schaduwen onder de banken liet lopen. Hij liet de robotspin draaien en gebruikte de camera om de muren te bekijken, op zoek naar het ventilatierooster dat hier ergens moest zijn. Uiteindelijk bleek het ergens hoog in de achterwand te zitten: hij zou moeten wachten tot de mannen eindelijk aangekleed waren. Het leek wel een eeuwigheid te duren, ook al waren het in werkelijkheid waarschijnlijk maar een paar minuten. Uiteindelijk liepen de mannen dan toch de kamer uit en kon Otto weer verder. Het bolletje zou open en bloot te zien zijn als het omhoogklom naar het rooster, dus hij moest opschieten. Hij duwde de controlstick zo ver mogelijk naar voren en liet de spin over de vloer rennen en vervolgens de muur opklimmen, richting het rooster.

Plotseling ving de microfoon op het bolletje het geluid van naderende stemmen op. Er kwam iemand de kleedkamer in! De kleine metalen spin had nog ongeveer een meter te gaan voor hij bij de ventilatieschacht was en klom zo snel hij kon langs het gladde, verticale muuroppervlak. Otto zag het rooster op zijn scherm steeds groter worden en probeerde de spin in gedachten nog sneller te laten lopen terwijl hij centimeter voor centimeter dichter bij zijn doel kwam. Hij liet de camera draaien om de kamer in te kunnen kijken en zag tot zijn afgrijzen dat er twee politie-agenten waren binnengekomen. Een van hen had een grote hond aan de lijn die nieuwsgierig rondsnuffelde. De microfoon die Otto in de spin had geïnstalleerd ving op wat ze zeiden.

'We hebben de boel hier een paar uur geleden nog gecontroleerd. Het is toch niet te geloven dat hij het ons nog een keer over laat doen,' zei de een geïrriteerd tegen de ander.

'Ach ja, je weet hoe de baas is,' antwoordde zijn collega. 'Alles volgens het boekje.'

Otto zag dat de hond nieuwsgierig om de hoek van de douchecabine rook waar de spin doorheen was gekomen. Hij snapte er niets van. Het bolletje zou geen geur moeten hebben, want het bestond alleen maar uit metaal en plastic. Waarom was de hond dan toch zo geïnteresseerd in die ene cabine? De hond draaide zich om en volgde precies de weg die het apparaatje had afgelegd. Plotseling drong het tot Otto door. Wat was hij ook een stomkop, dacht hij bij zichzelf. De robotspin had dan zelf misschien geen geur die de hond kon volgen, maar hij was net wel een paar honderd meter door het riool gekropen. Otto durfde te wedden dat hij daardoor nu een geurspoor achterliet dat voor dit beest niet te missen was.

De spin was ondertussen bij de ventilatieschacht in de muur aanbeland. Otto manoeuvreerde de twee voorpootjes heel voorzichtig onder de rand van het scharnierende rooster en probeerde het zo ver op te tillen dat het apparaatje zich erdoor zou kunnen wurmen. Hij hoopte dat het scharnier niet zo stroef zou zijn dat het kleine apparaatje het niet in beweging kon krijgen, maar tot zijn opluchting zag hij een steeds grotere kier verschijnen. Hij draaide de camera weer om en zag dat de hond nog steeds aan de grond snuffelde en nu tussen de banken door richting het rooster liep, met de agent erachteraan.

'Zo te zien is Rex iets op het spoor,' merkte de man op terwijl hij naast zijn hond hurkte. 'Wat heb je daar, jochie? Ruik je iets? Ga het maar pakken,' zei hij terwijl hij de riem van de hond loshaakte. Het beest begon door de kleedkamer te lopen en kwam steeds dichter bij het apparaatje, dat zich nu bijna door de smalle opening aan de onderkant van het rooster had weten te slepen. Otto duwde de stick nog verder naar voren en uiteindelijk glipte ook het laatste pootje door het gat, waarna het bolletje in de donkere, schuin aflopende schacht viel. Helaas trok die kleine beweging de aandacht van de hond, die woest begon te blaffen en met zijn voorpoten over de muur schraapte in een vergeefse poging om dichter bij het rooster bij het plafond te komen.

De twee agenten liepen naar de opgewonden hond toe en de man met de riem in zijn hand keek zijn viervoeter vragend aan.

'Nou, hij ruikt in elk geval iets daarboven. Laten we die schacht maar even checken.'

Otto's bloed stolde in zijn aderen. Hij probeerde het bolletje weg van het rooster te sturen. Als het nog een meter verder de schacht in kroop, zou de duisternis het aan het oog onttrekken, maar hij had maar een paar seconden de tijd. Plotseling verscheen het gezicht van een van de agenten aan de andere kant van het rooster. De man tuurde onderzoekend de donkere schacht in.

'Ik zie niks,' zei hij tegen zijn onzichtbare collega.

'Je kunt het rooster opendoen. Kijk, het zit gewoon aan een scharnier,' antwoordde de andere agent.

Als hij het rooster open zou klappen, zou hij Otto's apparaatje zeker weten zien. En als Otto nu zou proberen de robotspin snel weg te laten lopen, zou de man de pootjes ongetwijfeld op de ijzeren binnenkant van de schacht horen tikken. Otto dacht koortsachtig na. Natuurlijk! Hij drukte op een toets van zijn toetsenbord en het statusvenster veranderde weer. Nu stond er: OBJECT UITGESCHAKELD.

In de ventilatiebuis trok het apparaatje onmiddellijk zijn pootjes in, en de zwaartekracht zorgde voor de rest. Precies op het moment dat de agent het rooster omhoogklapte, rolde het bolletje geruisloos weg, de donkere schacht in. Otto kon nog net verstaan wat ze zeiden terwijl ze de buis onderzochten.

'Er zit hier niks, hoor. Ik snap niet waar Rex zich zo druk over maakt.'

'Waarschijnlijk heeft hij gewoon door de ventilatie iets uit de keuken geroken. Je kent hem toch. Ouwe vreetzak.'

De stemmen stierven langzaam weg terwijl de agenten hun ronde door de kleedkamers afmaakten en verder liepen. In zijn hotelkamer dwong Otto zichzelf te ontspannen. Hij voelde hoe zijn hart langzaam weer een beetje tot rust kwam. Dat was echt op het randje geweest, maar hij mocht nu niet zenuwachtig worden. Hij had nog ongeveer een halfuur om het apparaat op de juiste plek te krijgen, en er lag een onbekend netwerk van ventilatieschachten voor hem waar hij het doorheen moest zien te loodsen. Hij had geen tijd te verliezen.

De kleine robotspin snelde op zijn spichtige ijzeren pootjes door de ventilatieschachten. Alleen deze hoek nog om, dacht Otto bij zichzelf terwijl hij zachtjes tegen de control-stick duwde om het apparaatje naar zijn doel te sturen. De spin wandelde de hoek om en klom door een opening in de schacht naar een kleine, donkere ruimte daaronder van ongeveer een meter hoog. Otto wist dat zijn apparaatje nu recht onder het podium was beland waar de minister-president over ongeveer vijf minuten zijn toespraak zou houden. Hij liet de camera ronddraaien en bestudeerde de omgeving om te zien waar hij heen moest. Een paar meter verderop liep een bundel kabels door een gat in de vloer van het podium de krappe ruimte in. Daar moest hij zijn. Hij liet het bolletje naar de kabels lopen en bekeek vlug welke hij precies nodig had. Hij drukte op weer een andere toets van zijn laptop: GRIJPERS ACTIEF stond er op zijn scherm.

Onder het podium gleden twee piepkleine ijzeren scharen uit de spin. Otto stuurde ze zorgvuldig naar de rechter-kabel en drukte op een toets, waarna ze het snoer stevig vastgrepen. INTERFACE INGESTELD meldde het computer-scherm.

Otto voerde een paar snelle diagnoseprogramma's uit en tot zijn grote vreugde deed alles het precies zoals het moest.

Goed, het moeilijkste is achter de rug, dacht hij, en hij draaide zich om naar de televisie die in een hoek van de kamer op een tafel stond. Hij drukte op de afstandsbediening en zapte snel langs de verschillende kanalen. Al snel had hij gevonden wat hij zocht – een journalist stond voor de camera te praten terwijl je op de achtergrond het podium kon zien waaronder Otto's robotspin zich in het geniep onder had verschanst. Otto bleef een paar minuten zitten wachten en luisterde met een half oor naar de journalist die iets orakelde over hoe belangrijk deze speech wel niet was voor de premier. Ook Otto wist heel zeker dat de minister-president deze dag voor altijd als een cruciaal moment in zijn carrière zou beschouwen.

De journalist was net uitgepraat toen de premier het podium betrad.

'Daar gaan we dan,' zei Otto zachtjes tegen zichzelf terwijl hij weer terugdraaide naar zijn computer.

Hij keek hoe de minister-president aan zijn toespraak begon, maar luisterde niet naar wat hij zei. Politici waren in zijn ogen verschrikkelijk saai en deze toespraak zou vast en zeker geen uitzondering zijn. Hij krijgt een paar minuten om erin te komen, dacht hij bij zichzelf.

De premier bazelde maar door en werd alleen af en toe onderbroken door geregisseerd applaus van het publiek. Oké, zo is het wel genoeg, dacht Otto na een paar minuten, en hij drukte op een toets. Er kwam een venster tevoorschijn met daarop een tekst die langzaam omhooggleed. De woorden die hij zag waren precies dezelfde als die de premier zei, want dit kwam rechtstreeks van zijn autocue. Tussen de tekstblokken stonden tussen haakjes aanwijzingen als (WACHTEN OP APPLAUS) of (MET VEEL GEVOEL). Otto wachtte heel even met zijn vinger boven de enter-knop en keek naar de televisie.

'Tot ziens, meneer de premier,' zei hij zachtjes terwijl zijn vinger op de toets neerkwam.

Otto had een paar dagen nodig gehad om het programma te perfectioneren dat nu op zijn computer werd uitgevoerd. Simpel gezegd stuurde het een rechtstreeks signaal, dat maar een paar seconden duurde, naar het vierkante glazen scherm van de autocue van de premier. Maar het was geen gewoon signaal – het was ontworpen om een zeer specifieke reactie uit te lokken. Otto wist dat de tekst op het scherm van de premier heel even onderbroken werd door een kort moment van sneeuw en ruis. Het was een schijnbaar volstrekt willekeurig patroon van zwarte en witte pixels dat er net zo uitzag als een televisie die geen signaal ontvangt. Maar dit was niet zomaar een beetje sneeuw: het was een zorgvuldig berekend patroon waar Otto best een tijd mee bezig was geweest voor het helemaal goed was. Door de unieke eigenschappen van het signaal kon Otto degene die ernaar keek onmiddellijk onder hypnose brengen en laten doen wat hij wilde. Hij had het programma eerst uitgetest op mevrouw Grijpgraag, en toen zij een paar minuten blaffend als een hond op handen en voeten over de grond had gekropen, wist hij vrij zeker dat het naar wens zou werken. Het kwam mooi uit dat autocues tegenwoordig zo ontworpen waren dat alleen de spreker de tekst kon lezen. Ieder ander zag slechts een doorzichtig, vierkant stuk glas. De enige twee mensen ter wereld die wisten wat er was gebeurd, waren Otto en de minister-president.

Otto keek naar de televisie en zag tot zijn vreugde dat de premier midden in een zin was opgehouden met praten en nu wezenloos naar de autocue staarde. Een paar van zijn ministers die achter hem op het podium zaten keken een beetje verward en vroegen zich af waarom hun leider opeens zijn mond hield. Het zou misschien best leuk zijn om hem zo een paar minuten als versteend te laten staan, maar Otto had andere plannen. Hij drukte op een van de toetsen van zijn laptop en het hypnotiserende signaal werd weer vervangen door voorbijglijdende tekst. Maar dit was niet de oorspronkelijke toespraak – dit was Otto's versie.

De premier leek met een schok uit zijn trance te ontwaken en praatte verder alsof er niets was gebeurd.

'Landgenoten, u hebt ongetwijfeld gemerkt dat ik en de andere kabinetsleden een diepe minachting koesteren voor u en uw gezinnen. Het is een eindeloze last om over zo'n stel kwijlende idioten als u te moeten regeren, en eerlijk gezegd vind ik dat wij veel te weinig waardering krijgen voor het feit dat wij de hele tijd dat gezeur van u moeten aanhoren.' Het gezicht van de minister-president liet op geen enkele manier blijken dat deze nieuwe toespraak misschien wat ongebruikelijk was. Achter hem zat zijn verbijsterde kabinet met openhangende mond naar hem te staren.

'Het zit namelijk zo: wij dienen het volk niet, jullie dienen ons, stelletje halvegare pummels, en hoe eerder jullie doorhebben dat jullie op je knieën aan onze voeten moeten liggen, hoe beter. Laten we wel wezen – jullie hebben allemaal nog geen greintje van onze intelligentie.' Hij gebaarde naar de mensen achter hem. 'De helft van jullie kan nauwelijks lezen en schrijven, en met het huidige onderwijssysteem zal daar de komende tijd weinig aan veranderen.'

Er steeg nu een boos gemompel op uit het publiek in het congresgebouw, en een aantal kabinetsleden zat driftig met elkaar te fluisteren. Met zijn karakteristieke grijns op zijn gezicht geplakt ging de minister-president verder.

'Dus mijn boodschap aan jullie is eigenlijk heel eenvoudig – het kan ons niet schelen. Nu niet en nooit niet. Jullie kunnen beter die grote waffel van je houden en ophouden met dat geklaag, want het zal ons allemaal een worst wezen. Het enige wat ons interesseert is macht en geld, en al die irritante, sneue probleempjes van jullie doen er helemaal niets toe.'

De grijns van de premier werd nog breder.

'Om heel eerlijk te zijn: jullie kunnen de pot op met je problemen. Dank u wel.'

Otto keek hoe de laatste opdracht die de politieke carrière van de minister-president voor altijd zou ruïneren over het scherm van zijn computer omhoogkroop.

(JE ZULT VOOR DE REST VAN JE LEVEN
NOOIT MEER LIEGEN)

De premier stond daar maar naar zijn publiek te grijnzen, en het was duidelijk dat hij er vast van overtuigd was dat hij de toespraak van zijn leven had gehouden. En dat was eigenlijk ook wel zo, dacht Otto, als je het op een bepaalde manier bekeek. Plotseling kreeg hij nog een extra vals idee. Hij wist dat hij het eigenlijk niet moest doen, maar wat kon het hem ook schelen – deze kans kreeg hij nooit weer. Met een grote grijns typte hij nog een laatste opdracht in het venster.

De minister-president draaide zich gehoorzaam om, boog zich voorover en liet zijn broek zakken. Op televisie werd snel overgeschakeld van het bleke witte achterwerk van de premier naar een beeld van de geschokte, ontstelde gezichten van het publiek. Otto kon een giechelbui niet meer onderdrukken. Dit was pas echt een lesje in machtsmisbruik.

Hij bleef nog een tijdje naar de televisie zitten kijken en moest lachen om de verbijsterde reacties van de doorgewinterde politieke verslaggevers, die wanhopig een verklaring probeerden te geven voor wat ze net hadden gezien. Hier zou het land nog wel een tijdje over doorpraten. Otto moest zichzelf dwingen om weer achter zijn computer te gaan zitten – het was tijd om zijn sporen uit te wissen. Hij tikte een opdracht in en er verscheen een nieuw venster.

ZELFVERNIETIGING GESTART

Onder het podium veranderde de kleine zilverkleurige robotspin in een plasje gesmolten metaal, zodat er met geen mogelijkheid nog een spoor naar Otto kon leiden. Het zat erop! Otto had het voor elkaar gekregen, want hij dacht niet dat de plannen om de weeshuizen te sluiten zonder de persoonlijke steun van de minister-president nog verder zouden worden uitgevoerd. Hij was ongekend trots op zichzelf en hij vond dat hij daar ook alle recht toe had. Een van de journalisten op televisie trok zijn aandacht.

'29 augustus: een dag waar voor altijd een politieke schande aan zal kleven...'

Was dat de datum vandaag? Otto was zijn tijdsbesef kwijtgeraakt terwijl hij dit allemaal aan het plannen was. Hij was jarig vandaag, of liever gezegd, dit was de dag waarop hij in St. Sebastian's terecht was gekomen, wat nog het dichtst in de buurt kwam van een echte verjaardag. Nou, hij kon geen betere manier verzinnen om het te vieren, dacht hij, terwijl hij met zijn blikje cola op de premier proostte.

Hij bleef nog even zitten kijken naar de verslaggeving van de steeds groter wordende politieke chaos. Toen begon hij zijn spullen te verzamelen en in zijn rugzak te stoppen. Het had geen nut om hier nog langer te blijven hangen. En bovendien stond er thuis in Londen een flinke verjaardagstaart op hem te wachten, mevrouw Grijpgraag kennende. Hij kreeg al honger als hij daaraan dacht.

Otto controleerde de kamer zorgvuldig om er zeker van te zijn dat zijn bezigheden van die middag geen sporen hadden achtergelaten. Toen hij ervan overtuigd was dat er geen bewijs meer in de kamer lag, deed hij de deur open en slaakte een kreet van verbazing. In de deuropening stond een geheel in het zwart geklede vrouw met kort donker haar en een lang litteken op haar wang. Zijn aandacht werd echter vooral getrokken door het enorme pistool dat ze op Otto's borst richtte.

'Dat was een knap staaltje werk, meneer Malpense.' Ze had een licht buitenlands accent. 'Maar ik vrees dat het nu wel mooi geweest is.' Ze hief het pistool.

'Ik ben niet gewapend!' stootte Otto uit. 'U bent een politieagent, u kunt toch niet op een weerloos kind schieten!' Hij stak zijn handen in de lucht om zijn woorden kracht bij te zetten.

Haar glimlach joeg Otto de stuipen op het lijf.
'Wie zegt dat ik van de politie ben?'
Otto's ogen werden groot van angst.
ZWIEP!

Hoofdstuk 7

Otto werd met een schok wakker. Zijn blackbox lag op zijn nachtkastje en stootte een doordringend gepiep uit. Hij pakte het apparaat op en klapte het open.

'Goedemorgen, meneer Malpense,' zei Brein.

'Goedemorgen, Brein. Hoe laat is het?' Otto wreef in zijn ogen. Hij had het gevoel dat hij maar vijf minuten had geslapen.

'Het is half acht, meneer Malpense. Om acht uur wordt in de eetzaal het ontbijt geserveerd, en de lessen beginnen om negen uur. Kan ik u verder nog ergens mee van dienst zijn?' informeerde Brein beleefd.

'Nee, op dit moment niet. Bedankt, Brein,' antwoordde Otto en het schermpje werd zwart terwijl Breins licht-gevende gezicht verdween.

Uit de blackbox van Wing kwam hetzelfde hardnekkige geluid, maar het leek weinig effect op hem te hebben. Hij bleef met een onverstoorbaar gezicht doorslapen en was zich kennelijk totaal niet bewust van het steeds harder wor-dende lawaai uit de zakcomputer. Otto schudde voorzichtig aan Wings schouder om hem wakker te maken. Tot zijn verbazing schoot Wings hand van onder de dekens omhoog en greep Otto's pols onaangenaam stevig vast. Wing knip-perde een paar keer met zijn ogen, en toen hij zag dat het Otto was, verslapte zijn ijzeren greep.

'Het spijt me, Otto, ik was even vergeten waar ik was.' Wing ging rechtop in bed zitten. 'Of eigenlijk had ik gehoopt dat het allemaal misschien gewoon een boze droom was. Helaas lijkt dat niet het geval te zijn.' Hij keek met een ongelukkige blik hun nieuwe, krappe kamer rond.

'Nee, we zijn er nog steeds, ben ik bang. Ik ga even douchen. Over een half uur moeten we ontbijten.'

Otto en Wing namen allebei een snelle douche en trokken hun uniform aan. Er waren 's nachts inderdaad op mysterieuze wijze schone pakken in de kast gehangen, net als Tahir al had aangekondigd. Otto had de vorige avond met een balpen een piepklein stipje op zijn uniform gezet voor hij het had weggehangen en dat zat er nu niet meer op, wat betekende dat dit uniform of grondig was gereinigd, óf misschien zelfs wel geheel vervangen. Hij zei tegen zichzelf dat hij niet moest vergeten om de klerenkast als ze straks terugkwamen wat grondiger te onderzoeken.

Algauw liepen ze de kamer uit en ontdekten dat het een drukke bedoening was in het atrium van woonblok zeven. Voor zijn gevoel liepen er honderden leerlingen rond die allemaal kletsend en lachend op weg waren naar het ontbijt. Otto speurde de menigte af naar bekende gezichten, en na een paar seconden zag hij Laura in een fauteuil zitten. Ze leek een beetje overweldigd door alle drukte om zich heen.

'Kijk, daar heb je Laura,' zei Otto terwijl hij naar haar wees. 'Kom, dan gaan we even goedemorgen zeggen.'

Laura lachte breed naar de jongens toen ze aan kwamen lopen.

'Goed geslapen?' vroeg ze, nog steeds met een grijns.

'Wing in elk geval wel,' antwoordde Otto. 'Maar iedereen in een straal van honderd meter om hem heen waarschijnlijk niet. Als walvissen snurken, dan klinken ze zo.'

Wing glimlachte schuldbewust. 'Ik heb je gewaarschuwd.'

'Het is een teken van een stel gezonde longen – dat zei mijn vader tenminste altijd,' zei Laura grinnikend. 'Hoewel mijn moeder volgens mij wel eens op het punt heeft gestaan om 's nachts met een keukenmes te controleren of ze echt zo gezond waren als hij zei, als je begrijpt wat ik bedoel.'

Otto knikte instemmend. 'Zou je ook nog snurken als je bent neergeschoten met een stille?'

'Als je het maar uit je hoofd laat,' waarschuwde Wing.

Met z'n drieën keken ze hoe de andere leerlingen uit hun woonblok door het atrium liepen. Sommigen gingen alvast op weg naar de kantine, vastbesloten om de onvermijdelijke rijen voor te zijn.

'En, bij wie slaap jij op de kamer?' vroeg Otto aan Laura.

'Bij Shelby,' antwoordde ze nogal geïrriteerd. 'Ze is zich nog steeds boven aan het klaarmaken. Ik mocht maar vijf minuten in de badkamer omdat zij aan een halfuur dus blijkbaar nauwelijks genoeg heeft. Dat heeft ze vanochtend in elk geval wel een stuk of twintig keer tegen me gezegd.'

Otto schoot in de lach. 'Wacht maar tot ze erachter komt dat er geen beautysalon is op H.I.V.E.S., dan hebben we de poppen aan het dansen.'

Wing zag iets over Otto's schouder. 'Kijk, daar zijn Nigel en Franz.'

Otto wist dat de twee jongens samen in een kamer waren ingedeeld en hij vroeg zich af hoe hún eerste nacht was verlopen. Ze hadden allebei nog steeds diezelfde verdwaasde, nerveuze blik op hun gezicht waar ze gisteren ook de hele dag mee hadden rondgelopen. Even later kreeg de Duitse jongen Otto, Wing en Laura in het oog en begon te zwaaien. Hij gaf Nigel een por en wees hun kant op. Otto zwaaide terug en wenkte de jongens.

'Ik hoop jullie hebben goed geslapen?' vroeg Franz voorzichtig terwijl hij en Nigel gingen zitten.

'Ja, prima, dank je. Jullie?' antwoordde Laura.

'Ja, ik heb geslapen, ondanks mijn zeer grote honger.' Franz keek hen ernstig aan en wilde duidelijk graag benadrukken hoe zwaar hij het had. 'Heeft een van jullie een snoepautomaat gezien?'

Nigel zuchtte. 'Franz, we gaan over tien minuten ontbijten. Wat moet je nou met een snoepautomaat?'

'Ik moet goed aansterken voor ein lange dag vol lessen, natuurlijk.' Franz gaf Nigel een mep op zijn rug, die aan Nigels gepijnigde blik te zien iets te enthousiast was. 'En jij moet ook ein beetje aansterken, mijn vriend. Maak je maar kein zorgen, Franz maakt van jou een echte man.' Otto zag de wat angstige blik op Nigels gezicht en vermoedde dat hij er niet erg happig op was om het Argentblumdieet uit te proberen.

'Trouwens, waarom zouden er automaten zijn als we toch geen geld hebben?' vroeg Otto. Hij had al veel nagedacht over het feit dat er blijkbaar helemaal geen betaalmiddelen waren op H.I.V.E.S. Uiteindelijk had hij besloten dat als geld echt de wortel van alle kwaad was, het hier op H.I.V.E.S. misschien alleen maar olie op het vuur zou gooien.

'Ja, ik had dat ook al bedacht, maar ik hoopte dat die automaten gratis zouden zijn. Dat zou goed zijn, ja?'

Otto betwijfelde ten zeerste of de woorden 'gratis snoepautomaten' en 'goed' ooit in dezelfde zin zouden moeten worden gebruikt als het om Franz ging.

'Nou, ik ben bang dat ik ze gisteren tijdens de rondleiding niet gezien heb, en hier staan er volgens mij ook geen. Dus misschien zullen we het zonder chips en chocola moeten doen,' merkte Laura op.

'Dat zou pas echt misdadig zijn.' Franz keek somber.

Otto keek op zijn blackbox hoe laat het was. 'Kom, het ontbijt begint zo. Laten we maar gauw gaan.'

Ze liepen met z'n vijven naar de uitgang en waren al bijna het atrium uit toen ze achter zich iemand hoorden roepen. Het was Shelby.

'Hé jongens, wacht op mij!' riep ze terwijl ze haastig naar hen toe rende. Ze had de weinige tijd die ze 's ochtends kregen duidelijk goed weten te besteden. Op de een of andere manier zag ze er een stuk wakkerder uit dan de anderen, en piekfijn verzorgd. Het viel Otto ook op dat Laura niet erg blij leek met Shelby's komst, en hij vroeg zich af of die twee ruzie hadden gehad.

'Schiet op, Shelby, straks komen we door jou nog te laat,' zei Laura ongeduldig.

'Ik kan er ook niets aan doen dat we veel te weinig tijd krijgen 's ochtends. Ik heb gewoon mijn hele aromareiniging moeten overslaan.' Shelby keek oprecht verontwaardigd door deze schandalige gang van zaken.

'Nou, je komt er vast wel overheen,' antwoordde Laura bits.

Nee, dacht Otto terwijl ze naar de uitgang liepen, dat ging inderdaad niet echt soepel tussen die twee.

Ze waren vijf minuten te vroeg voor hun eerste les, Slechtheidskunde, en zaten in hun schoolbanken te wachten op de komst van dr. Nero. Otto was erg benieuwd hoe dit eerste uur zou verlopen. Het zou hem in elk geval de kans geven om dr. Nero eens wat nader te bestuderen, wat ongetwijfeld van pas zou komen. Van Sun Tzu had hij geleerd dat de sleutel tot de overwinning lag in het leren kennen van je vijand, en hij was vast van plan om alles over deze geheimzinnige doctor te weten te komen.

Wing zat naast hem en bladerde door het boek dat ze voor dit vak nodig hadden, *Basiscursus Slechtheid.*

'Heb jij dit al gelezen?' vroeg Wing. Hij leek een beetje van slag.

'Nee,' loog Otto. In werkelijkheid had hij de vorige avond het hele boek al gelezen. Hij had er maar een paar minuten over gedaan, maar hij wilde niet dat iemand al iets over zijn sponsachtige eigenschap om informatie op te zuigen te weten zou komen. 'Is het een beetje interessant?' vroeg hij.

'Ik weet niet zeker of "interessant" het juiste woord is,' antwoordde Wing. 'Ik zou eerder "verbijsterend" en "licht angstaanjagend" willen zeggen. Ik ben erg benieuwd welk licht dr. Nero op dit onderwerp zal laten schijnen.' Hij fronste zijn wenkbrauwen.

Otto wist wat Wing bedoelde. Het boek leek te suggereren dat slechtheid helemaal geen filosofisch concept was, maar alle kansen bood voor een doodnormale baan. Het stond vol adviezen en praktische voorbeelden waarmee de lezer zijn eigen slechtheid kon verbeteren en sneller hogerop kwam op de carrièreladder der verdorvenheid. Otto vermoedde dat het een van de weinige boeken ter wereld was met hoofdstukken als 'Het uitschakelen van je tegenstanders', 'De weg naar de top gaat over lijken' en 'Test je kwaadaardigheid'.

Plotseling ging de deur van het lokaal open. Iedereen werd stil toen dr. Nero binnenkwam en naar de lessenaar voor in de klas liep.

'Goedemorgen, kinderen. Ik hoop dat jullie allemaal zonder problemen je intrek hebben genomen in jullie kamers.' Nero liep om het bureau heen en zijn blik gleed langzaam langs de zenuwachtige gezichten van de leerlingen. 'Jullie weten allemaal hoe ik heet, maar ik ben bang dat dat andersom nog niet het geval is, dus jullie moeten het me maar niet kwalijk nemen als ik af en toe een fout maak.

We zijn hier bij Slechtheidskunde. Tijdens deze lessen zullen jullie leren om jullie talenten ten volle te benutten, om de ware slechterik die jullie allemaal in je hebben naar boven te halen. Maar laat één ding van het begin af aan duidelijk zijn. Ik ben hier niet om huis-tuin-en-keukencriminelen van jullie te maken – dan kun je net zo goed zes maanden in een willekeurige gevangenis gaan zitten. In plaats daarvan zal ik jullie leren om hogere doelen na te streven, om verder te gaan dan je van tevoren misschien gedacht had te kunnen. H.I.V.E.S. leidt geen bankovervallers, inbrekers, autodieven of straatrovers op. We zullen jullie, kort gezegd, niet leren hoe je een of andere kruimeldief wordt. En we zijn ook geen voorstanders van hersenloos geweld, behalve bij de handlangersrichting natuurlijk – een echte schurk hoeft zijn handen als het goed is niet vuil te maken aan dat soort dingen. Jullie zullen geen individuen chanteren, maar regeringen. Jullie zullen geen banken beroven, jullie nemen ze over. Jullie zullen geen mensen ontvoeren, jullie gaan vliegdekschepen stelen.

Sommige mensen in deze klas zullen nu denken: Maar dat is toch slecht? Dat mag toch niet? Op die vragen zal ik nu antwoord geven.' Nero wachtte even, alsof hij probeerde te ontdekken welke leerlingen dit soort twijfels koesterden.

'Slechtheid,' ging hij verder, 'wordt helaas nooit goed begrepen. De meeste mensen zouden slechtheid omschrijven met woorden als 'fout' of 'verkeerd', maar ik wil jullie laten zien dat de echte betekenis veel dieper en ingewikkelder is. Dat zijn misschien niet de definities die gewone mensen zouden hanteren – maar jullie zíjn geen gewone mensen. Jullie zijn búítengewoon, en daarom hoeven jullie je leven niet te laten leiden door de verstikkende beperkingen van andermans ethische normen. Jullie zijn allemaal in staat tot slechtheid – dat is iedereen – maar jullie echte uitdaging is te begrijpen dat slechtheid niet verkeerd is. Slechtheid moet een doel hebben; het gaat om de wil om koste wat kost te krijgen wat je hebben wilt, om niet op te geven als het tegenzit, om slim te zijn in een wereld die wordt geregeerd door stompzinnigheid. Jullie zijn de leiders van morgen: mannen en vrouwen die de wereld voor altijd kunnen, en zullen, veranderen.'

Waterstofbommen kunnen de wereld ook voor altijd veranderen, dacht Otto, maar dat wilde nog niet zeggen dat elke ambitieuze streber daar een voorbeeld aan hoefde te nemen.

Nero ging verder. 'Ik weet zeker dat jullie wel eens een boek hebben gelezen of een film hebben gezien waarbij je merkte dat je stiekem hoopte dat de slechterik zou winnen. Waarom? Dat is toch tegen de regels die onze maatschappij draaiende houden? Waarom denk je dat dan? Het is eigenlijk heel simpel: de slechterik is de ware held van die verhalen, niet de imbeciel met de zogenaamd goede bedoelingen die op de een of andere manier zijn snode plannen dwarsboomt. De slechterik heeft de beste tekst, de mooiste kostuums, onbeperkte macht en rijkdom – waarom zou iemand in vredesnaam níét de slechterik willen zijn? Maar daar zit 'm dus juist de kneep. Als het gewone volk zich zou realiseren hoeveel leuker het leven zou zijn als ze allemaal de schurk zouden spelen, welke gevolgen zou dat dan hebben? Wat zou er met de maatschappij gebeuren als de mensen begrepen dat de held in het echte leven bijna nooit alles op het nippertje toch nog weet te redden, en dat de slechterik altijd het laatst lacht? De wereld zou hoogstwaarschijnlijk verstrikt raken in een uitzichtloze staat van anarchie. En daarom is het belangrijk dat een opleiding als deze alleen wordt gegeven aan degenen die het verdienen. Aan mensen die een sterk karakter hebben en intelligent genoeg zijn om de macht die ze bezitten te begrijpen. Laat het klootjesvolk maar over sprookjeshelden dromen – ondertussen ligt het beste van wat onze wereld te bieden heeft voor jullie voor het grijpen.'

Otto wist zeker dat Nero deze toespraak al heel vaak had gehouden. Het klonk als een goedgeoefend verkooppraatje. Dat wilde niet zeggen dat het niet werkte: de hele klas luisterde muisstil naar wat Nero te zeggen had. Een paar leerlingen maakten zelfs aantekeningen, wat Otto erg grappig vond. Zoals Nero het omschreef was de mogelijkheid om een schurkenleven te leiden een kans die je niet kon laten schieten...

'De beste manier om iets te leren is natuurlijk door het werk van de meesters in het door jou gekozen vakgebied te bestuderen. Daarom zullen we de grootste schurken uit de geschiedenis behandelen, om te proberen te begrijpen wat het ware criminele meesterbrein van een talentvolle psychopaat onderscheidt. Er zijn altijd mannen en vrouwen geweest die hebben laten zien dat slechtheid niet zomaar een baan, maar een kunstvorm is, en die mensen zullen jullie rolmodellen worden, jullie helden, de voorbeelden die jullie maar beter kunnen volgen.'

Nero keek het lokaal nog een keer rond – hij vond het altijd heel belangrijk om dit vak persoonlijk aan de nieuwe alfaleerlingen te geven. De school moest altijd heel voorzichtig te werk gaan om er zeker van te kunnen zijn dat ze leiders zouden afleveren, geen monsters. Bij ieder kind in dit lokaal kon het in principe nog beide kanten op, en als directeur van de school had hij de taak om ervoor te zorgen dat H.I.V.E.S. nooit een leerling op de wereld losliet die de wereldmacht in anarchie zou laten omslaan, want daar zat maar een dunne scheidslijn tussen. Nero wilde absoluut niet dat zijn leerlingen dat soort chaos zouden veroorzaken, ook al zouden sommige dat misschien wel graag willen. De kinderen moesten leren hoe belangrijk het was om stijlvol en discreet te werk te gaan in hun nieuwe beroep.

'En in dat kader wil ik vandaag dan ook beginnen met het bespreken van de luisterrijke carrière van een van onze oud-leerlingen, helaas niet meer onder ons: Diabolus Doemduister.' Nero pakte een kleine afstandsbediening van het bureau en drukte een knopje in. Achter hem zakte een scherm uit het plafond met daarop de foto van een opvallend knappe man. Hij droeg een lang zwart jacquet en had een sabel vast, waarvan de punt op de grond steunde. Zijn hoofd was helemaal kaal en zijn kalme uitdrukking straalde een gevoel van zelfvertrouwen en daadkracht uit.

Otto wierp een blik op Nigel, die er niet erg blij mee leek te zijn dat zijn vader het onderwerp van deze les zou worden. Nero wist ongetwijfeld dat Nigel de zoon van Diabolus was, en blijkbaar had hij er bewust voor gekozen om hem in deze ongemakkelijke situatie te brengen, om welke reden dan ook.

'Zoals sommigen van jullie misschien al weten,' zei Nero terwijl hij naar Nigel toeliep en een hand op zijn schouder legde, 'hebben wij vandaag iemand van de familie Doemduister in ons midden. Allereerst wil ik je dan ook graag namens iedereen van harte condoleren met het recente verlies van je vader, Nigel.'

Nigel kromp in elkaar op zijn stoel toen iedereen in het lokaal naar hem keek.

'Bedankt,' mompelde hij terwijl zijn bleke gezicht langzaam dieprood werd.

'Voor wie het niet weet, de vader van Nigel was een van de grootste schurken die er ooit geweest zijn. Na zijn eindexamen op H.I.V.E.S. heeft hij werkelijk legendarische dingen gepresteerd, en ik kan me geen beter rolmodel voorstellen om je de komende jaren aan te spiegelen.'

Otto hoopte maar dat ze het voorbeeld van Doemduisters vroegtijdige dood níét hoefden te volgen.

'Om echt te kunnen begrijpen waarom Diabolus zo bijzonder was, moeten we eerst eens wat beter naar zijn achtergrond en zijn bekendste intriges kijken. Zo is hij er een paar jaar geleden bijvoorbeeld in geslaagd om de Amerikaanse president te ontvoeren en te vervangen door een robotdubbelganger. Pas drie weken later kreeg iemand het in de gaten...'

Het uur daarna bleef Nero uitgebreid vertellen over het

leven van Doemduister senior en al zijn listige complotten, het ene nog boosaardiger en sluwer dan het andere. Deze geschiedenisles was anders dan alle andere die Otto ooit had gehad. Nero liet hun een glimp zien van een wereld waarvan het merendeel van de mensheid niet eens wist dat hij bestond. Het was een wereld waarin allerlei schurken-bendes in een eindeloze strijd verwikkeld waren met de rechterlijke macht, een strijd die verder voor iedereen geheimgehouden werd. Otto's mond viel open toen hij over een aantal gebeurtenissen hoorde waar de nietsvermoe-dende bevolking zo ongeveer met zijn neus bovenop had gestaan. Maar dankzij de media, die verdacht laks waren in hun berichtgeving, en een paar reusachtige doofpotopera-ties van een aantal regeringen, hadden de meeste mensen geen flauw benul van de geheime oorlog die er om hen heen werd uitgevochten.

Otto hield Nigel scherp in de gaten tijdens de verhalen over zijn vaders leven. Af en toe kreeg de jongen een ver-bijsterde blik op zijn gezicht als Nero uitweidde over een voorval of intrige waar Nigels vader verantwoordelijk voor was geweest, dus blijkbaar hoorde zelfs zijn zoon hier nog nieuwe dingen.

Tegen het eind van de les vroeg Nero of er nog vragen waren over wat ze hadden gehoord. Er gingen direct een paar vingers omhoog en Nero wees een jongen met blonde krullen aan die achter in de klas zat.

'Zeg het maar, meneer Langström. Wat wilde u vragen?'

'Wat is er met Doemduister gebeurd?' vroeg de jongen.

'Nou, u zult vast wel begrijpen dat ik daar niet al te diep op in kan gaan, uit respect voor Nigels gevoelens. Vergeet niet dat deze gebeurtenissen voor jou misschien gewoon bij de geschiedenisles horen, maar dat het voor hem nog steeds zeer pijnlijke, recente herinneringen zijn,' antwoordde Nero.

Otto was blij dat Nigel de details over zijn vaders dood niet hoefde aan te horen, maar zelf was hij toch ook wel nieuwsgierig. Nero had Diabolus zo beschreven dat je je nauwelijks een situatie kon voorstellen waarin hij het onderspit zou delven. Aan de gekwelde uitdrukking op Nigels gezicht te zien wist hij precies wat er met zijn vader was gebeurd en had hij daar erg akelige herinneringen aan.

De jongen knikte. 'Ja, natuurlijk. Het spijt me, daar had ik niet bij stilgestaan.' Nigel leek opgelucht dat het onderwerp niet uitgebreid besproken zou worden.

Nero wees een andere opgestoken vinger aan en een meisje met dreadlocks mocht haar vraag stellen.

'Ik heb het idee dat sommige delen van zijn complotten eigenlijk nergens voor nodig waren. Hij heeft een volledig bemand ruimtestation gebouwd met een ronddraaiend laserkanon erop, maar het zou toch veel makkelijker zijn om die laser in een baan rond de aarde te brengen en dan vanaf de grond te besturen? Of om de boel gewoon met traditionele wapens te vernietigen? Waarom zou je het risico lopen om ontdekt te worden door het zo uitgebreid aan te pakken? Zonder al die extra moeite had zijn plan uiteindelijk minstens zo goed gewerkt, volgens mij.'

Nero glimlachte. 'Een zeer goede vraag, en het antwoord raakt de kern van wat we jullie op H.I.V.E.S. proberen te leren. Wat Diabolus begreep, en wat jullie hopelijk ook zullen gaan begrijpen, is dat een list stijl moet hebben. Een intrige moet intrigeren, zou je kunnen zeggen. Er zijn zat mensen die genoeg talent en kwaliteiten bezitten om een eenvoudig crimineel plan te bekokstoven, maar we moeten er altijd naar streven om boven dat niveau uit te stijgen. Is het echt nodig om een gigantische robotinktvis te maken om schepen te vernietigen? Je kunt toch ook torpedo's gebruiken, of ze saboteren? Ja, dat kan, maar dat is al eens eerder gedaan. Als jullie op H.I.V.E.S. je eindexamen gehaald hebben, worden jullie de pioniers, de voorhoede van het kwaad, leiders voor wie het traditionele nooit goed genoeg zou mogen zijn. Daarom zullen jullie intriges ook nooit voortborduren op wat iemand anders al eens gedaan heeft – ze moeten origineel, geslepen en bovenal stijlvol zijn. De gewone criminelen mogen vol ontzag in jullie voetsporen volgen terwijl jullie de weg banen, altijd op zoek naar een volgende uitdaging, constant vernieuwend, zonder ooit een moment stil te staan.'

Otto zag dat veel leerlingen een beetje verdwaasd keken, maar hij snapte precies wat Nero bedoelde. Hij had het gevoel dat Nero iets beschreef waar Otto zich altijd al van bewust was geweest – hij wilde niet zomaar winnen, hij wilde stijlvol winnen. Hij kon niet ontkennen dat het aanlokkelijk klonk en voor het eerst sinds hij op het eiland was aangekomen vroeg hij zich af of H.I.V.E.S. hem misschien toch iets te bieden had.

PWEH, PWEEEEH, PWEH!!!!

De bel ging om het eind van de les aan te geven en Otto schrok op. Nero verhief zijn stem terwijl de kinderen hun boeken en schriften begonnen in te pakken.

'Voor volgende week moeten jullie allemaal de eerste drie hoofdstukken van *Basiscursus Slechtheid* lezen. Ik zal een korte overhoring geven en ik ga ervan uit dat jullie die allemaal foutloos zullen maken. Jullie mogen gaan.'

Hoofdstuk 8

Otto en Wing liepen door de drukke gangen naar de afdeling Tactiek voor hun eerste les van kolonel Francisco. Vlak voor hen kletste Franz opgewonden tegen een terneergeslagen Nigel.

'Denk je dat het wel goed gaat met Nigel?' vroeg Wing terwijl hij bezorgd naar de kleine, kale jongen keek.

'Volgens mij was hij er niet echt op voorbereid om in zijn allereerste les zijn vaders levensverhaal uitgebreid onder de loep te nemen, mocht je dat bedoelen,' antwoordde Otto.

'Ik kan me niet voorstellen dat Diabolus het enige interessante studieobject was,' merkte Wing op. 'Je kunt je afvragen waarom dr. Nero zo'n gevoelig onderwerp heeft gekozen.'

'Het heeft geen nut om te proberen die man te begrijpen, je maakt jezelf alleen maar gek. Ik weet niet wat zijn reden was, maar voor Nigel was het vast niet gemakkelijk.' Otto keek weer naar Nigel, die ondanks de woordenstroom van Franz in gedachten verzonken leek te zijn. Otto versnelde zijn pas. 'Kom, we moeten hem redden van Franz.'

'Hé jongens,' zei Otto. 'Zeg, heeft een van jullie al iets over die kolonel Francisco gehoord wat we moeten weten?'

'Ja, ik heb van een van de andere leerlingen begrepen dat hij een van de strengste dozenten van de school is,' antwoordde Franz een beetje nerveus, hoewel die zenuwen volgens Otto waarschijnlijk meer te maken hadden met het vooruitzicht van lichamelijke inspanning dan met iets anders.

'Nou, dat is goed om te weten, aangezien alle andere leraren die we tot nu toe ontmoet hebben echt ontzettende watjes waren,' antwoordde Otto sarcastisch. 'En jij, Nigel? Heb jij nog iets interessants over hem gehoord?'

'Nee, niet echt.' Nigel klonk echt heel treurig. Hij leek de anderen niet recht aan te kunnen kijken. 'Maar hij weet vast wie mijn vader was.' Zijn stem had een verrassend bittere ondertoon.

'Ja, jouw vater was echt een hoge pief, hè?' antwoordde Franz opgewekt. Hij had kennelijk helemaal niet in de gaten dat Nigel zich zo rot voelde.

'Nou, ik wou dat iedereen gewoon eens over hem ophield.' Nigel leek even oprecht kwaad te worden voor zijn somberheid weer terugkeerde. 'Ik ben het spuugzat om telkens te moeten aanhoren hoe fantastisch hij was. Júllie hoefden niet met hem in één huis te wonen.'

Nero zat achter zijn bureau in zijn kantoor ongeduldig te wachten tot het videoscherm aan de muur tegenover hem zou oplichten. Hij verwachtte een telefoontje van Nummer Eén, de enige man ter wereld voor wie hij bang was, de leider van het Bondgenootschap van Ondernemingen der Kwaadaardige Schurken, oftewel B.O.K.S. Er was maar heel weinig bekend over deze man, behalve dan dat hij B.O.K.S. de afgelopen veertig jaar had opgebouwd van een klein crimineel kartel tot het grootste en machtigste syndicaat ter wereld ooit. Niemand wist wie hij echt was – hij sprak nooit in levenden lijve met iemand af – en er deden talloze verschillende theorieën de ronde over wie hij zou kunnen zijn. Maar met de paar mensen die ooit geprobeerd hadden hem van zijn macht te beroven was in elk geval snel en meedogenloos afgerekend, een afschrikwekkend voorbeeld voor anderen die stiekem misschien ook dat soort plannen hadden.

Zoals gewoonlijk was de afspraak geregeld door de ondergeschikten van Nummer Eén, en werd er van Nero verwacht dat hij op de aan hem meegedeelde tijd klaar zou zitten om het telefoontje te ontvangen. En wee degene die niet braaf zat te wachten als Nummer Eén belde – hij stond niet bepaald bekend om zijn engelengeduld. En dus zat Nero nu te kijken hoe de grote wijzer van de klok langzaam naar de vastgestelde tijd tikte. Hij had nog nooit meegemaakt dat een telefoontje van Nummer Eén ook maar een seconde te laat kwam, en hij dacht niet dat dit de eerste keer zou worden.

Toen de grote wijzer langs de twaalf kroop lichtte het videoscherm op met het vertrouwde H.I.V.E.S.-logo. De vuist en de wereldbol vervaagden en daarvoor in de plaats kwam het silhouet van een man, volledig onherkenbaar.

'Maximiliaan. Goed je weer te zien,' zei de duistere figuur op het scherm.

'Het is een eer, Nummer Eén. U wilde iets met mij bespreken?' vroeg Nero.

'Inderdaad. Ik ga ervan uit dat de laatste lichting leerlingen met succes is gerekruteerd.'

'Ja, meneer. Dit jaar beginnen er bijna tweehonderd leerlingen, in alle verschillende richtingen – dat zijn er meer dan de afgelopen jaren.'

'En de rekruteringsoperaties zijn allemaal zonder problemen verlopen?'

Nero overwoog of hij Nummer Eén zou vertellen over de moeilijkheden waar het rekruteringsteam tegenaan was gelopen toen ze Fanchu gingen halen, maar besloot toen van niet. Hij wist dat er een kleine kans bestond dat Nummer Eén al van het incident gehoord had – hij scheen immers in alle uithoeken van de wereld over spionnen te beschikken – maar hij vertrouwde erop dat zijn werknemers discreet waren geweest.

'Nee, Nummer Eén. Alles is geheel volgens plan verlopen,' antwoordde Nero op vlakke toon. Nummer Eén was berucht om het feit dat hij feilloos aanvoelde wanneer iemand tegen hem loog.

'Mooi. Ik zou erg teleurgesteld zijn als er iets was gebeurd waardoor het geheime bestaan van H.I.V.E.S. in gevaar gebracht zou kunnen zijn. We kunnen het ons niet veroorloven de school nog een keer te verplaatsen.'

'Niemand weet iets van ons, meneer, daar kunt u van op aan.' Nero wist wat de persoonlijke gevolgen zouden zijn als dat op een dag niet meer het geval zou zijn.

'Mooi. Zorg ervoor dat dat zo blijft,' antwoordde Nummer Eén.

Nero wist dat Nummer Eén niet zomaar belde om over de rekrutering van de nieuwe leerlingen te praten. Hij had alle details van de succesvolle operatie al vermeld in zijn gebruikelijke rapport aan B.O.K.S. en Nummer Eén had die informatie daarin zo kunnen opzoeken.

'Wilde u het nog ergens anders over hebben, Nummer

Eén?' vroeg Nero, want hij wist zeker dat dat zo was.

'Jazeker. Over Otto Malpense.'

Er begonnen alarmbellen te rinkelen in Nero's hoofd.

'Die is gisteren veilig en wel gearriveerd, meneer.'

'Dat weet ik. Je vraagt je misschien af wie zijn schoolgeld betaalt.'

Dat vroeg Nero zich inderdaad af. Nadat hij de nieuwe leerlingen in de toegangsgrot had begroet, had hij het dossier van Malpense bekeken. Het verhaal van de Contessa over zijn gedrag tijdens de rondleiding en het akkefietje in de kantine hadden zijn eerste indruk van de jongen alleen maar versterkt, en hij wilde zo veel mogelijk over deze jongen weten. Het overkwam hem tenslotte niet elke dag dat een nieuwe H.I.V.E.S.-leerling nog voor de opleiding ook maar was begonnen al een staatshoofd ten val had gebracht. Nero was nog nieuwsgieriger geworden toen hij had geprobeerd om de informatie over Otto's sponsor te bekijken, maar vervolgens te horen had gekregen dat zijn B.O.K.S.-toegangscode daar niet hoog genoeg voor was. Hij was met stomheid geslagen geweest en vervolgens ook ongerust geworden. Dit had hij nog nooit meegemaakt, en er waren maar heel weinig mensen op de wereld die een hogere toegangscode hadden dan hij.

'Inderdaad, meneer. Het is nogal ongebruikelijk dat ik niet bij de informatie over zijn sponsor kan komen, hoewel het ongetwijfeld een goede reden zal hebben.' Nero koos zijn woorden zorgvuldig – als je met deze man praatte, had je soms het gevoel dat je in een mijnenveld stond te tapdansen.

'Daar is zeker een goede reden voor, en ik zal je vertellen waarom. Ik sponsor Malpense zelf.'

Er liep een rilling over Nero's ruggengraat. Nummer Eén had nog nooit een leerling gesponsord.

'Juist. Hebt u een speciale reden om hem te sponsoren? Ik bedoel, zijn er dingen die ik moet weten die zijn opleiding ten goede zullen komen?'

'Mijn redenen zijn privé. En ik zou denken dat je onderhand zo verstandig was om die niet in twijfel te trekken, Maximiliaan.' De stem van Nummer Eén kreeg even een scherpe ondertoon, en Nero voelde hoe de haren in zijn nek overeind gingen staan.

'Natuurlijk, meneer. Ik twijfel absoluut niet aan de juistheid van uw beslissing, en ik weet zeker dat hij een uitstekende leerling zal blijken.' Nero deed zijn uiterste best om de angstige klank in zijn stem te verbergen.

'Dat denk ik ook. Ik verwacht dat je me regelmatig op de hoogte zult houden van zijn vorderingen.'

'Uiteraard, meneer. Kan ik nog iets anders voor u doen?'

'Zorg dat hem niets overkomt, Nero. Hij zal natuurlijk wel eens wat verwondingen oplopen tijdens de opleiding, maar er mag niets ernstigs met hem gebeuren. Ik houd jou persoonlijk verantwoordelijk voor zijn veiligheid.'

'Uitstekend, Nummer Eén. Verder nog iets?'

'Nee, dat was het. Doe alle docenten mijn hartelijke groeten.'

Om hen eraan te herinneren dat hij alles in de gaten hield, dacht Nero bij zichzelf.

'Dat zal ik doen, Nummer Eén.'

'Ik neem binnenkort weer contact met je op, Maximiliaan. Tot ziens.'

Het scherm werd zwart. Nero leunde achterover in zijn stoel en probeerde te verwerken wat Nummer Eén hem net had verteld. Hij had nog nooit een leerling van H.I.V.E.S. gesponsord, dus blijkbaar had Malpense iets waardoor hij van gedachten was veranderd. Nero moest en zou erachter komen wat dat was. Ondertussen kon hij Raaf de opdracht geven om de jongen in het oog te houden, en zij moest er ook voor zorgen dat hij niet in de problemen raakte. Normaal gesproken werden haar kwaliteiten niet ingezet om leerlingen te bewaken, maar hij wist zeker dat zij de beste en onopvallendste bodyguard voor de jongen zou zijn. Hij wilde niet dat de docenten of leerlingen iets zouden merken van het feit dat Malpense een speciale behandeling kreeg, dus ze zou zo onzichtbaar mogelijk te werk moeten gaan. Gelukkig zagen de meeste mensen Raaf pas als het al veel te laat was – daar konden haar eerdere slachtoffers over meepraten.

Nero klikte Otto's dossier aan in de computer. Hij las alle informatie nog eens door, op zoek naar iets wat hem eerder niet was opgevallen en waaruit hij misschien kon afleiden waarom Nummer Eén juist deze jongen had uitgezocht. Er viel hem niets speciaals op, behalve dan dat huzarenstukje met de premier, maar Nero was vastbesloten om zo veel mogelijk over Otto te weten komen. Misschien hing zijn eigen leven er straks wel van af.

Hoofdstuk 9

De afdeling Tactiek was bijna een schoolgebouw op zich. Onderweg naar de grot waar ze hun eerste les van kolonel Francisco zouden krijgen zag Otto klaslokalen, schietbanen, gymzalen, klimmuren, zwembaden en een heleboel andere voorzieningen die alleen deze afdeling kennelijk had. Het viel hem ook op dat er in dit gedeelte van de school veel meer handlangersleerlingen rondliepen dan hij tot nu toe had gezien. De meesten waren net zo imposant gebouwd als Block en Tackle. Otto zag dat Wing hun omgeving constant met een scherp oog in de gaten hield, alsof hij verwachtte dat ze elk moment in een hinderlaag konden lopen. Waarschijnlijk was ook hij op zijn hoede voor de jongens met wie ze de vorige dag tijdens de lunch een bokswedstrijdje hadden gedaan.

De sfeer hier was heel anders dan in de andere delen van de school waar de alfaleerlingen tot nu toe waren geweest. Er hing een nauwelijks onderdrukte agressie in de lucht, die overal doorheen leek te sijpelen. De spanning werd alleen maar versterkt door de openlijk vijandige blikken die alle bullebakken in de blauwe overalls hun toewierpen. Het was dan ook best een opluchting toen ze eindelijk bij de ingang van de juiste grot kwamen en de zware ijzeren deuren met een donderend geluid openzwaaiden om hen binnen te laten.

Ze liepen een groot stalen platform op dat uit de wand van een hoge grot stak, met daaronder een bassin vol donker water. Aan het plafond van de grot, op dezelfde hoogte als het platform, hing een bizarre verzameling balken en betonblokken, als een soort opgehangen stormbaan. Aan de rand van het platform stond de enorme zwarte man die Otto de vorige dag tijdens de lunch aan de docententafel had zien zitten. Hij droeg weer hetzelfde camouflage-uniform en zware, glimmend gepoetste zwarte soldatenkisten, en hij oogde werkelijk kolossaal. Nu Otto hem van dichterbij kon bekijken, zag hij ook dat de man een scharnierende, stalen kunsthand had en geen handschoen droeg, zoals hij in eerste instantie had gedacht. Waarschijnlijk kon je deze meneer maar beter geen hand geven, tenzij je graag een bezoekje aan de ziekenboeg wilde brengen. Hij zag eruit alsof hij met liefde je hoofd eraf zou rukken als je niet precies deed wat hij zei, en toen de laatste alfaleerling binnen was, brulde hij naar de groep:

'Zo! Luister goed, stelletje waardeloze wormen. Ik ben kolonel Francisco, maar jullie zeggen "meneer". Als ik zeg dat je iets moet doen, dan doe je dat, punt. Als een van jullie niet doet wat ik zeg, zal ik er persoonlijk voor zorgen dat de komende jaren een ware hel voor je worden – en daar houd ik me aan. Ik zal wel niet veel kunnen beginnen met zo'n stel alfanietsnutten, maar we zullen eens kijken wat jullie in huis hebben. Opstellen!'

Hij wees naar de cirkels die voor hem op de grond waren geschilderd en alle leerlingen gingen gauw op een van de rondjes staan.

'In de houding! Voeten bij elkaar, ogen naar voren!' schreeuwde Francisco, en iedereen gehoorzaamde haastig. 'Wat een ongelooflijk zielige, slappe zooi, zeg,' zei de kolonel terwijl hij langs de rij scholieren liep. 'Dit is de eerste fase van jullie opleiding Tactiek. Het is zeer onwaarschijnlijk dat jullie ook maar het kleinste beetje aanleg hebben voor wat ik jullie zal proberen te leren, maar ik duld geen afhakers. Je geeft alles wat je hebt, en anders kom ik het halen. Is dat duidelijk?'

Hier en daar werd iets gemompeld door de groep kinderen, van wie de meeste in een lichte shock leken te verkeren.

'Ik hoor jullie niet! Als ik een vraag stel, geef je luid en duidelijk antwoord. Het laatste woord dat ik altijd van jullie allemaal wil horen is "meneer". Begrepen?' Hij keek hen dreigend aan, alsof hij hen uitdaagde om hem tegen te spreken.

'Ja, meneer!' riep de groep in koor.

'Mooi. Tijdens deze eerste training zullen jullie kennismaken met een van de belangrijkste basisonderdelen van de uitrusting die je hier op H.I.V.E.S. zult gebruiken.' Hij liep naar een rek vol vreemde zwarte voorwerpen en haalde er een uit. Het leek op een gepantserde handschoen met een kleine handgreep aan het ene uiteinde. Aan de zijkant zat een soort bult waar een zilveren pijlpunt uitstak.

'Dit is het nieuwste model enterhandschoen,' blafte de kolonel terwijl hij het ding om zijn arm liet glijden. 'De komende tijd zullen jullie allemaal leren hoe hij werkt en hoe je hem tactisch kunt toepassen. Het is geen ingewikkeld apparaat, dus zelfs jullie alfa's zouden het moeten kunnen snappen.'

Otto begon een idee te krijgen waar de vijandigheid van de handlangers jegens de alfaleerlingen vandaan kwam.

'De hoofdtrekker zit hier onder de handgreep.' Hij wees naar het handvat. 'Hiermee schiet je de enterlijn af, zo.' Hij richtte het ding op het plafond van de grot en drukte op de knop. Er klonk een plopgeluidje en er schoot een stalen pijl met daaraan een dunne draad uit de loop van het apparaat, recht in de rots boven hen. 'De tweede knop zit onder je duim. Hiermee kun je de lijn langer en korter maken.' Er kwam een gierend geluid uit het apparaat en de kolonel werd een meter omhoog getrokken zodat hij voor hen in de lucht kwam te hangen. Nadat hij daar even had gebungeld, duwde hij de knop naar de andere kant en liet zichzelf weer op het platform zakken.

'Als je de trekker nog een keer overhaalt, komt de enterhaak los.' Hij drukte op de knop – de pijl kwam los van het plafond en de lijn schoot met datzelfde hoge, gierende geluid bliksemsnel terug de handschoen in, waarna de punt met een klik weer op zijn plek kwam te zitten.

'Met één handschoen kun je langs een verticale oppervlakte omhoogklimmen of veilig afdalen uit een hoge positie, maar soms kan het handiger zijn om twee enterhaken te gebruiken.' De kolonel liep terug naar het rek, pakte een tweede handschoen en deed die om zijn andere arm. Hij liep naar de rand van het platform en vuurde een lijn af naar de vreemde voorwerpen die aan het plafond hingen. De pijl raakte een betonblok en bleef daar stevig zitten.

'Let op. Straks moeten jullie dit allemaal zelf proberen.' Met die woorden stapte de kolonel van het platform en zwaaide naar het midden van de grot. Toen hij op het hoogste punt van zijn boog was liet hij de lijn weer los en begon te vallen. Een paar leerlingen hapten naar adem, maar ondertussen vuurde hij de tweede enterhaak af, die zich aan een blok verderop hechtte. Zijn val werd gebroken en met een enorme snelheid zwaaide hij verder aan zijn armen naar de andere kant van de grot. Soms leek het net alsof hij rakelings langs de obstakels scheerde, maar hij bleef in hetzelfde tempo doorgaan. Hij bewoog zich opvallend gracieus en behendig voor zo'n grote man en al snel had hij het eind van de hindernisbaan bereikt. Toen hij aan de overkant van de grot was, draaide hij zich om en zwaaide terug, waarbij hij telkens net op tijd van de ene lijn op de andere overging om niet tegen de blokken op te botsen, waar hij soms recht op af leek te vliegen. Uiteindelijk landde hij weer soepel op het platform, recht voor de groep leerlingen. Hij leek niet eens buiten adem. Het was een indrukwekkende vertoning.

'Zoals jullie hebben kunnen zien, kun je je met twee enterhandschoenen op deze manier zeer snel door een hoge ruimte verplaatsen. Jullie zullen nog heel wat moeten oefenen voor je enigszins met deze uitrusting overweg kunt. Daarom wil ik dat jullie allemaal twee enterhandschoenen pakken en proberen om de grot over te steken naar het platform aan de andere kant.' De kolonel wees door de grot naar eenzelfde platform, dat deels aan het zicht werd onttrokken door de hindernissen die in de weg hingen. Niemand stond zo te zien te trappelen om de oversteek te wagen, en iedereen bekeek met een ongeruste blik de afstand tot donkere water onder hen.

Franz stak zenuwachtig zijn hand op.

'Ja?' blafte de kolonel, en Franz maakte een sprongetje van schrik.

'Dat lijkt mij nogal gevaarlijk. Stel dat wij vallen?' vroeg Franz, terwijl hij nog eens naar het water onder hem keek.

De kolonel beende met grote stappen naar de plek waar Franz stond en boog zich naar hem toe.

'Zie ik eruit als iemand die jullie in een gevaarlijke situatie zou brengen?' gromde hij met zijn neus slechts een paar centimeter bij die van Franz vandaan.

Franz verstijfde als een bang konijntje. Op deze vraag was overduidelijk geen goed antwoord mogelijk.

'Eh... ja,' zei Franz, in de hoop dat hij dan niet meteen dood zou gaan.

'Mooi, want dat ben ik ook, en jij hebt zojuist aangeboden om als eerste te gaan, worm,' zei de kolonel met een gemene grijns. Franz keek doodsbenauwd, maar hij besefte maar al te goed dat het geen zin had om de kolonel tegen te spreken. Met een gezicht alsof hij net ter dood veroordeeld was liep hij naar het rek met de enterhandschoenen. De kolonel koos vlug een stel handschoenen voor Franz uit en schoof ze om zijn armen, waarbij hij aan de anderen liet zien hoe ze vastgemaakt moesten worden.

'Goed, laat maar eens zien wat je in huis hebt,' zei de kolonel, en hij gebaarde dat Franz bij de rand van het platform moest gaan staan. Franz liep erheen en keek met een panisch gezicht naar beneden.

'Ik hoop dat dat water diep genoeg is,' mompelde hij tegen zichzelf terwijl hij langzaam zijn arm optilde en de enterhandschoen op een punt een stuk verderop op het plafond richtte. Hij drukte op een van de knoppen, waarna de pijl door de lucht schoot en zich met een bonk aan het plafond hechtte. Hij keek nog eens omlaag en toen over zijn schouder naar de kolonel.

'Ik geloof dat ik dit niet kan,' zei hij nerveus, met een lijkbleek gezicht.

'Er is maar één manier om daarachter te komen, worm,' antwoordde de kolonel en hij gaf Franz een harde duw tegen zijn rug zodat hij van het platform af viel.

'Aaaaaaaaahhhhh!' schreeuwde Franz terwijl hij door de lucht vloog. Hij draaide en kronkelde en zag eruit als een vis die aan een haakje uit het water wordt getrokken. De demonstratie van de kolonel was een toonbeeld van gratie en behendigheid geweest, maar Franz leek tijdens zijn eerste poging meer op een dronken sloopkogel. In zijn paniek had hij niet eens geprobeerd om de andere lijn af te schieten, en na een paar seconden hing hij onder aan de draad te bungelen en draaide met gesloten ogen langzaam in het rond. De kolonel keek niet blij.

'Vuur de tweede lijn af, waardeloze zak vet!' brulde hij naar de hulpeloze Franz. 'Anders blijf je daar de hele dag hangen!'

Franz tilde gehoorzaam zijn vrije arm op en schoot, met één oog nog steeds dicht, de tweede enterhaak lukraak in de richting van het plafond. De pijl schoot weg met de draad erachteraan en kwam vast te zitten aan een van de betonblokken, zodat Franz nu aan twee lijnen tegelijk hing.

'En nu de eerste lijn intrekken,' instrueerde de kolonel. Franz deed wat hem gezegd werd en zwaaide verder naar het midden van de grot. Zo ging het een paar minuten door en ondanks de instructies die de kolonel naar hem blafte kwam Franz maar heel langzaam vooruit, omdat hij na elke zwaai stopte en weer bleef bungelen. Bij zijn laatste zwaai liet Franz de lijn te vroeg los, zodat hij met een flinke smak op het ijzeren platform aan de overkant viel, waar hij als een vormeloos hoopje bleef liggen.

'Goed, wie volgt?' De kolonel liet zijn blik langzaam over de groep glijden om een nieuw slachtoffer uit te kiezen. 'Jij daar,' snauwde hij terwijl hij Shelby aanwees. 'We zullen eens zien of jij het beter doet dan onze eerste vrijwilliger.'

'Best, geen probleem,' antwoordde ze. Shelby leek het helemaal niet erg te vinden om naar de andere kant van de grot te moeten oversteken. Ze liep rustig naar het rek, schoof twee handschoenen om haar armen en liep naar de rand van het platform. Toen ze helemaal bij het eind was draaide ze zich om en knipoogde naar de kolonel, waarna ze met een zweefduik naar beneden sprong, zonder zelfs maar haar eerste lijn af te schieten. De hele groep hapte naar adem toen Shelby verdween. Een fractie van een seconde schoot er van onder het platform een lijn omhoog en zwaaide ze als een speer naar het midden van de grot. Ze leek volkomen op haar gemak en had helemaal geen last van het paniekerige gedraai waardoor Franz tijdens zijn poging zo pijnlijk langzaam was gegaan. Shelby zag eruit alsof ze dit elke dag deed. Vlak voor ze de ene lijn afschoot liet ze de andere los waardoor ze telkens kort naar beneden viel, en die snelheid gebruikte ze om steeds harder naar voren te zwaaien. Ze vloog tussen de hindernissen door, waarbij ze een paar keer op een haar na langs de obstakels leek te scheren, en landde uiteindelijk zo licht als een veertje op het platform aan de overkant. Het was moeilijk te zeggen wie er dieper onder de indruk was, de leerlingen of de kolonel. Zijn mond hing open van verbazing.

'Goed... eh... juist. Zo moet het. Ja, heel goed.' Het was wel duidelijk dat de kolonel nog nooit had meegemaakt dat iemand de eerste keer op die manier de grot overstak. Otto gaf Wing een por en trok een wenkbrauw op. Het verbaasde Otto absoluut niet dat Shelby meer in zich had dan het irritante karakter dat ze liet zien – hij had al geraden dat ze iets over haar verleden verzweeg. Hij moest er alleen nog achter zien te komen wat dat was.

In het halfuur daarna probeerde iedereen uit de klas de hindernisbaan te nemen. Sommigen hadden er duidelijk meer vertrouwen in gekregen na Shelby's succes, maar kwamen er toen achter dat het toch een stuk moeilijker was dan het leek. Dat had tot gevolg dat een paar leerlingen helaas op tamelijk vernederende wijze helemaal doorweekt langs de ladder die uit het water stak naar het platform moesten klimmen. Nigel was een van die pechvogels, nadat hij eerst met zijn gezicht tegen een van de betonblokken in het midden van de spelonk was geknald. Bij het krakende geluid dat daarmee gepaard ging, hadden de toeschouwers een meelevend 'Ooooeeeehh' laten horen. Hij stond kletsnat en diep ongelukkig op het platform, met een nu al indrukwekkende blauwe plek op zijn jukbeen.

Otto was niet erg verbaasd toen Wing snel en efficiënt overstak en weinig moeite had met deze krankzinnige trapezeact. Hij keek niet zo ontspannen als Shelby terwijl hij door de grot zwaaide, maar hij leek er ook niet echt problemen mee te hebben. Otto maakte zich best een beetje zorgen over zijn eigen oversteek, maar toen hij aan zijn eerste zwaai begon, merkte hij dat het hem verrassend gemakkelijk af ging. Hij was nooit zo'n sportief type geweest, maar hij handelde instinctief en het ging hem goed af. Het leek haast alsof hij voor zich zag welke route hij moest nemen – uiteindelijk was het gewoon natuurkunde, zei hij tegen zichzelf, en hij was gewoon een soort veredelde slinger. Hij deed het dan misschien niet zo zwierig als Shelby of Wing, maar hij haalde zonder kleerscheuren de overkant en hoefde zich niet bij de leerlingen te voegen die het niet hadden gehaald en nu allemaal een plasje water rond hun voeten hadden.

De kolonel stond voor de groep en keek hen afkeurend aan.

'Op een paar uitzonderingen na hebben jullie het alle-maal verschrikkelijk slecht gedaan vandaag, zoals natuur-lijk ook te verwachten was van een stel alfa's.' Hij liep de rij leerlingen langs. Bij Shelby bleef hij staan en prikte met zijn vinger naar haar. 'Hoe heet jij, worm?' vroeg hij bot.

'Shelby Trinity, meneer,' antwoordde zij.

'Jij hebt dit zo te zien al eens eerder gedaan, Trinity,' zei hij terwijl hij haar onderzoekend opnam.

'Nee meneer. Het was meer geluk dan wijsheid, meneer,' antwoordde Shelby, en heel even trilde er een piepklein glimlachje om haar lippen.

'Als dat zo is heb je wel verdomd veel geluk gehad. Je hebt het heel aardig gedaan. Houden zo.'

Otto wist dat dat nogal zacht uitgedrukt was. Shelby had het net zo goed gedaan als de kolonel.

De kolonel liep verder langs de rij en bleef uiteindelijk staan bij Wing en Otto.

'Jullie twee hebben wellicht ook wel een piepklein beetje aanleg. Als jullie veel oefenen wordt het misschien iets minder pijnlijk om naar jullie te kijken.' Otto vermoedde dat dat een van de grootste complimenten was die je van de kolonel kon krijgen. 'Maar wat de rest van jullie wormen heeft laten zien hield het midden tussen afgrijselijk en vol-slagen afschuwelijk. Aan het eind van mijn lessen verwacht ik dat alle alfa's hier die oversteek bliksemsnel en kurk-droog kunnen maken. Begrepen?' gromde hij.

'Ja, meneer!' riepen de leerlingen in koor.

De kolonel grijnsde kwaadaardig. 'Dat mag ik hopen, want de volgende keer ligt er misschien wel iets hongerigs in het water. Ingerukt.'

'Maar als je de kwantumfaseremmer verplaatst veroorzaak je een gigantische terugkoppeling en dan gaat het helemaal mis.'

'Niet waar, niet als je hem voor de inductiegroep zet.'

Otto staarde naar het schakelschema voor zijn neus. Hij vond het gesprek met Laura opvallend interessant. Hij had nog nooit iemand ontmoet met wie hij op zo'n hoog niveau over ingewikkelde technische vraagstukken kon praten, en het was erg verfrissend om een discussie als deze te voeren met iemand die zo goed op de hoogte was van digitale elektronica. Toen professor Pike had gezegd dat hij en Shelby moesten samenwerken tijdens de praktijkles Techniek was hij in eerste instantie bang geweest dat ze hem zou afremmen. Hij had echter al snel doorgehad dat ze minstens zo veel van dit onderwerp afwist als hij, en hij genoot echt van hun discussie over hoe het schakelschema dat ze moesten bestuderen verbeterd zou kunnen worden. Officieel hoefden ze natuurlijk alleen maar de overduidelijke fouten in het ontwerp aan te wijzen, maar die hadden ze binnen twee minuten al gevonden.

Alle andere koppels aan de werktafels in het lokaal leken echter grote moeite te hebben met het ingewikkelde schema dat professor Pike had uitgedeeld. Hij was zonder twijfel de warrigste leraar die ze tot nu toe gezien hadden; hij was zelfs vijf minuten te laat gekomen. Zijn slordige, onverzorgde uiterlijk was weinig veranderd sinds Otto hem in de kantine aan de lerarentafel had zien zitten. Otto vermoedde dat hij zelfs nog precies dezelfde kleren aanhad als de vorige dag. Onder zijn vlekkerige witte jas droeg hij een sjofel tweedpak en zijn woeste witte haar zag eruit alsof het alleen vanuit de verte wel eens een kam had gezien. Hij was met een grote stapel papieren en boeken het lokaal in gesneld en had die vervolgens lukraak op het bureau neergekwakt, wat de ongeordende zooi alleen maar erger maakte. Hij had zichzelf niet eens voorgesteld en had meteen de schakelschema's uitgedeeld waar ze de fouten uit moesten halen. Daarna was hij achter zijn bureau gaan zitten om zich in de papieren te verdiepen die hij mee naar de les had genomen.

Otto kreeg een beetje het idee dat professor Pike vond dat de leerlingen hem maar van zijn werk hielden, en dat hij deze opdracht vooral had gegeven omdat ze daarmee wel een tijdje zoet zouden zijn, niet omdat ze er zo veel van zouden opsteken. Maar hij kreeg nu in elk geval wel de kans om een goed gesprek met Laura te voeren.

Wing moest samenwerken met Nigel, en samen leken ze weinig tot geen vorderingen te maken met het vraagstuk waar de professor hen mee had opgezadeld. Een paar leerlingen hadden al geklaagd dat het hele schakelschema abracadabra was voor hen, maar de professor had geantwoord dat ze het makkelijk moesten kunnen oplossen en dat ze gewoon hun best moesten doen. Otto dacht dat het schema deel uitmaakte van een convergentiesysteem voor een energiestraal, maar los van de andere onderdelen kon hij onmogelijk zeggen waar het verder nog voor zou kunnen dienen.

'Het zou bij zo'n pistool, zo'n stille kunnen horen,' peinsde Laura, 'maar daar lijkt de uitgangsspanning te hoog voor.'

Otto knikte. 'Wat het ook is, volgens mij kun je er maar beter niet voor gaan staan als het aan is.'

Laura glimlachte. 'Volgens mij kun je maar beter op een

ander werelddeel gaan staan als het aan is.'

Als je naar sommige wapens keek die tijdens Slechtheids-kunde waren genoemd, zou Laura best eens gelijk kunnen hebben.

'Wel een pittige opdracht voor de eerste les, vind je niet?' ging Laura verder terwijl ze naar de wanhopige gezichten van de kinderen om hen heen keek.

'Misschien wel, maar jij lijkt er niet veel moeite mee te hebben,' merkte Otto op.

'Nee, dit is mijn specialiteit – computers, elektronica, dat soort dingen. Maar dit is echt een ingewikkeld schema, hoor. Alsof je iemand tijdens zijn eerste pianoles Rachma-ninoff laat spelen.'

Otto knikte. Het was inderdaad een bijzonder moeilijk vraagstuk om in de eerste les te moeten oplossen, al hele-maal als je bedacht dat veel leerlingen in de klas dit soort gecompliceerde elektronica nog nooit van dichtbij gezien hadden. Het was waarschijnlijk weer een soort test, het technische equivalent van met een stel enterhandschoenen over een afgrond te moeten zwaaien.

De professor leek nauwelijks in de gaten te hebben dat er überhaupt een les bezig was, en zat alleen maar over zijn papieren gebogen. De chaos op zijn bureau was vergelijk-baar met die in de rest van het lokaal: het leek wel alsof elke vrije centimeter in beslag genomen werd door vreemde apparaten of stapels papier. Achter het bureau hing een schoolbord waar bovenaan met grote blokletters NIET UIT-VEGEN was geschreven. Onder die strenge opdracht stond een verschrikkelijk ingewikkelde vergelijking die elke cen-timeter van het bord in beslag nam. Otto was al na een paar regels de draad kwijt toen er wiskunde aan te pas kwam waar hij nog nooit mee had gewerkt. De professor had kennelijk veel aan zijn hoofd.

'En, heb je iets uit Shelby weten te krijgen?' vroeg Otto zachtjes aan Laura.

Laura had tijdens de lunch met Shelby zitten kletsen en vond haar eindeloos douchende kamergenote na haar indrukwekkende entershow tijdens de tactiekles duidelijk een stuk minder vervelend.

'Nee, ze zei alleen dat ze voor ze hiernaartoe was gekomen veel had geturnd op school, en dat het haar niet erg moeilijk had geleken.' Aan Laura's uitdrukking zag hij dat ze er niets van geloofde.

'Ja ja, want dit soort oefeningen doe je natuurlijk heel vaak tijdens de turnles, toch?' Otto was er net als Laura niet van overtuigd dat dit een aannemelijke verklaring was voor wat Shelby eerder die dag had laten zien.

'Maar goed, meer wilde ze er niet over zeggen. Ze deed net alsof het allemaal heel gewoon was en daarna begon ze over iets anders. Ik zal eens kijken of ik vanavond nog wat meer te weten kan komen.' Laura keek naar Shelby, die samen met een ander meisje aan de andere kant van het lokaal zat.

'Over geheimen gesproken, waardoor ben jij eigenlijk op H.I.V.E.S. terechtgekomen?' vroeg Otto terloops terwijl hij naar het schakelschema bleef kijken.

'O, dat weet ik niet precies... eh... Is dat een golfverplaatsingsmeter?' Laura's stuntelige poging om van onderwerp te veranderen kon niet verhullen dat haar wangen plotseling rood waren geworden.

'Nee, dat is een faseverschilmeter.' Otto was niet van plan haar er zo makkelijk vanaf te laten komen. 'Je hebt vast wel een vermoeden.'

'Dat zou ik ook tegen jou kunnen zeggen,' antwoordde ze zachtjes.

'Ik vroeg het eerst.' Otto glimlachte naar haar en haar wangen werden nog iets roder.

'Goed dan, maar je moet beloven dat je het aan niemand vertelt, en dan moet jij ook zeggen waarom jíj hier bent,' antwoordde ze terwijl ze hem ernstig aankeek.

'Afgesproken. En?'

'Nou, het stelde eigenlijk niet zo veel voor. Er zat een meisje op mijn oude school, Mandy McTavish, en ik dacht dat ze achter mijn rug om stomme dingen over me zei, maar ik wist niet precies wat. Dus toen heb ik gewoon een paar van haar mobieletelefoongesprekken afgeluisterd.' Laura keek een beetje opgelaten, en Otto wist dat er meer aan de hand moest zijn.

'Dus H.I.V.E.S. heeft jou gerekruteerd omdat je een meisje hebt afgeluisterd? Meer niet?'

'Nou ja, ik had niet alle apparatuur die ik nodig had, dus ik heb wat spullen moeten lenen.'

'Lenen?'

'Zo zou je het kunnen noemen. Vlak bij ons dorp was een Amerikaanse luchtmachtbasis en ik heb wat van hun spullen gebruikt.'

'Heb jij bij een luchtmachtbasis ingebroken?' Otto kon de verbazing in zijn stem niet onderdrukken.

'Niet echt ingebroken. Ik heb gewoon een neptoegangs-code aangemaakt en hun computernetwerk gehackt.' Ze keek nu nog ongemakkelijker. 'Er vlogen altijd van die militaire waarschuwingsvliegtuigen rond om alles in de gaten te houden en die heb ik toen opdracht gegeven om een paar dagen ergens anders de boel te gaan bewaken, meer niet.'

Otto grijnsde naar haar. 'Dus je wilt zeggen dat jij een deel van het systeem waarmee de luchtmacht naar kern-aanvallen uitkijkt, hebt gebruikt om een meisje af te luiste-ren dat over je roddelde?'

'Ik snap heus wel dat je het stom vindt,' antwoordde ze mismoedig. 'Beloof je dat je het aan niemand zult vertel-len?'

'Tuurlijk.' Otto vond het helemaal niet stom, hij was juist diep onder de indruk. De besturingssystemen waarmee die vliegtuigen hun opdrachten kregen waren ongetwijfeld beveiligd met superingewikkelde software. Hij snapte heel goed waarom H.I.V.E.S. geïnteresseerd was geraakt in Lau-ra. 'Wat goed, zeg. Daar hoef je je toch helemaal niet voor te schamen?'

Ze glimlachte een beetje schaapachtig. 'Ik dacht dat ik geen sporen had nagelaten, maar kennelijk heeft iemand toch gemerkt wat ik aan het doen was. En daardoor ben ik denk ik hier terechtgekomen.' Aan de manier waarop ze het zei, hoorde Otto dat ze hier net zo graag weg wilde als hij. Dat kon nog van pas komen – om het ontsnappings-plan dat hij in zijn hoofd aan het ontwikkelen was te laten slagen, zou hij wel iemand met Laura's kwaliteiten kunnen gebruiken.

'Je klinkt alsof je graag van deze rots af zou willen,' fluis-terde hij. 'Ik weet hoe je je voelt,' voegde hij er met een veelbetekenende blik aan toe.

'Heb je al een plan?' vroeg ze zachtjes terwijl ze net deed alsof ze het schema bestudeerde.

'Misschien. Maar het is wel gevaarlijk.' Otto keek even op naar de professor, maar die was nog steeds verdiept in zijn papieren.

'Hier de komende jaren blijven is pas echt gevaarlijk. Levensgevaarlijk,' antwoordde ze.

'Goed, we hebben het er later nog wel over, als we wat meer privacy hebben.' Hij kon er verder niets over zeggen, want hij was bang dat iemand hen zou horen. Zíj mochten dan van het eiland af willen, maar dat betekende nog niet dat dat voor alle leerlingen gold. Ze moesten voorzichtig zijn.

'Goed.' Laura glimlachte naar hem. 'En wat is jouw verhaal, Otto? Vooruit, afspraak is afspraak.'

Otto had er eigenlijk niet met iemand over willen praten. Hij had het zelfs niet tegen Wing gezegd, maar hij had het gevoel dat Laura het echt niet zou doorvertellen. En bovendien had hij nog nooit zulke mooie groene ogen gezien...

'Nou, laten we het er maar gewoon op houden dat de onverwachte ommezwaai die de premier een paar dagen geleden heeft gemaakt voor mij niet als een verrassing kwam...'

Haar ogen werden groot en hij glimlachte.

'Zat jij daarachter?' Zo te zien kon ze maar moeilijk geloven dat Otto verantwoordelijk was voor het feit dat de minister-president zijn ontslag had moeten indienen.

'Het blijft onder ons, hè?' hielp Otto haar herinneren.

'Tuurlijk, maar hoe heb je...'

'Goed, de tijd is om. Breng je opdrachtblad maar naar voren.' De professor onderbrak haar vraag.

Otto pakte het schema op. 'Ik kan erg overtuigend zijn als ik wil.' Stiekem vond hij het geweldig dat ze zo geschokt keek – normaal gesproken kon hij nooit met iemand praten over wat hij allemaal deed. Door op te scheppen over je succes werd de kans dat je gepakt werd alleen maar groter, maar hij wist dat het in dit geval misschien al een beetje te laat was om zich daar nog druk over te maken.

Otto liep met hun verbeterde schakelschema naar het bureau van de professor. Toen hij er was keek de man met een licht verwarde blik op.

'Ben jij niet een beetje klein voor iemand uit de eindexamenklas?' vroeg hij terwijl hij Otto van top tot teen opnam.

'Eh... wij doen nog geen eindexamen, professor, we zijn net begonnen,' antwoordde Otto. Hij begreep niet zo goed wat de professor bedoelde.

'Maar dit is de gevorderde techniekles. Waarom zitten er eerstejaars in mijn gevorderde techniekles?' De professor tuurde naar het knopje op Otto's kraag. 'Och hemeltje.' Hij haalde een verfomfaaid vel papier uit een van de zakken van zijn laboratoriumjas en keek erop. 'Aha, juist ja. Ik geloof dat mijn rooster niet meer helemaal actueel is. Dus jullie zijn mijn eerstejaars? Ik vond al dat er zo weinig bekende gezichten tussen zaten.' De chaotische wanorde in het laboratorium was overduidelijk een afspiegeling van de persoonlijkheid van de leraar die er lesgaf.

Otto gaf het schema aan de professor, in de wetenschap dat het eigenlijk niet de bedoeling was geweest dat hij en Laura het hadden kunnen maken. Hij baalde dat ze op de achterkant verbeteringen voor het ontwerp hadden geschetst.

'Ja, die opdracht was waarschijnlijk nog iets te moeilijk voor jullie. Mijn excuses.' De professor pakte het papier aan en bestudeerde het grondig. 'U lijkt het desondanks heel aardig gedaan te hebben, meneer...?'

'Malpense, meneer. Otto Malpense, en mijn partner Laura heeft erg goed geholpen bij deze opdracht.'

'Werkelijk uitstekend gedaan. Ik had nooit aan een variabele fasereeks gedacht, maar het zou zeker kunnen werken.' De professor leek hun voorstellen om het ontwerp te verbeteren interessanter te vinden dan de vraag hoe ze zo'n gevorderde oefening hadden kunnen uitvoeren.

Terwijl de professor hun schema bestudeerde wierp Otto een blik op de andere papieren die over het bureau verspreid lagen. Zijn hart maakte een sprongetje toen hij besefte waar hij naar keek. Het waren blauwdrukken van de school! Hij staarde ingespannen naar de ondersteboven liggende plattegronden en had ze in een fractie van een seconde uit zijn hoofd geleerd. Hij deed zijn ogen dicht en zag de plattegronden net zo duidelijk voor zich als wanneer hij er een foto van gemaakt zou hebben. Dit was precies wat ze nodig hadden. Toen hij een paar andere papieren op het bureau bekeek, viel zijn oog op iets waar TWEEDE VERSIE BEWUSTZIJNSOVERDRACHTMACHINE boven stond, maar de details van dat ontwerp lagen verborgen onder een ander vel.

Plotseling keek de professor op en zag dat Otto naar de plattegronden op zijn bureau aan het staren was. Zonder iets te zeggen draaide hij de blauwdrukken om en keek Otto indringend aan.

'Tja, dit is een lastige situatie. Ik had vandaag met de basisuitleg willen beginnen, maar aan dit schema te zien is dat misschien een beetje te simpel voor jullie, denk je ook niet?' De professor mocht dan misschien nogal warhoofdig overkomen, maar Otto wist dat het dom zou zijn om de man te onderschatten.

'O, ik weet zeker dat ook wij de basisdingen moeten leren, professor,' antwoordde Otto behoedzaam.

'Zo is dat, Otto, zo is dat.' De professor kneep zijn ogen een beetje samen en even meende Otto een heel andere kant van de man op te vangen dan het stuntelige type dat hij tot nu toe had gezien. 'We zullen eens kijken hoe de anderen het ervan afgebracht hebben.' Plotseling vroeg Otto zich af of het wel echt een vergissing was geweest dat ze deze moeilijke opdracht hadden gekregen. Hij wilde dat hij en Laura de oefening niet zo gedegen hadden gemaakt – op H.I.V.E.S. kon je volgens hem maar beter niet al te veel opvallen.

Er kwamen nu ook andere leerlingen met hun papier naar het bureau toe, en het werd al snel duidelijk dat Otto en Laura de enigen waren dat er iets van had begrepen. De professor putte zich uit in verontschuldigingen voor dit misverstand en verzekerde de klas tot ieders grote opluchting dat de volgende lessen niet zo moeilijk zouden zijn.

Toen Otto terugliep naar zijn werktafel vroeg Laura hoe ze de opdracht gemaakt hadden. Hij zag dat de professor hen allebei scherp in de gaten hield.

'Goed,' antwoordde hij. 'Misschien wel iets te goed.'

Hoofdstuk 10

Het was een lange dag geweest voor de nieuwe leerlingen en iedereen was blij dat ze nog maar één les voor de boeg hadden, Geheime Operaties. Ze hadden allemaal nog nooit een schooldag als deze meegemaakt en Otto vroeg zichzelf af of elke dag hier zo ongebruikelijk zou zijn, of dat ze gewoon een pittige vuurdoop hadden gekregen.

De leerlingen liepen door de deur naar een collegezaal met rijen banken erin. Mevrouw Leon, de lerares, was in geen velden of wegen te bekennen, maar Otto wist nu in elk geval wel van wie de verwende poes was die hij de vorige dag in de kantine had gezien. Het pluizige witte beest lag opgekruld op het bureau voor in de zaal te slapen en merkte schijnbaar niets van de binnenkomst van de alfa-leerlingen.

Na een paar minuten had de hele klas een plekje gevonden en zat iedereen in afwachting van de docent met elkaar te praten. De poes was blijkbaar wakker geworden van het lawaai, want ze stond op en rekte zich uit op het bureau terwijl ze de groep kinderen onderzoekend aankeek.

'Goedemiddag, kinderen.' De vrouwenstem had een Frans accent en leek voor uit het lokaal te komen, maar de lerares was er nog steeds niet. Iedereen werd stil en vroeg zich nieuwsgierig af waar deze stem zonder bijbehorend lichaam vandaan kwam.

'Ik ben mevrouw Leon. Welkom bij jullie eerste les Geheime Operaties.'

Otto en Wing keken elkaar verbijsterd aan. *De stem kwam uit de kat!*

'Let maar niet op de toestand waarin ik momenteel verkeer. Laten we het er maar op houden dat de experimenten van professor Pike om bepaalde dierlijke eigenschappen op mensen over te brengen niet zo goed gelukt zijn als hij graag gewild had. Ik geloof dat hij het een semivolledige bewustzijnsoverdracht noemt, maar het komt er eigenlijk op neer dat ik voorlopig vastzit in dit lijf, dankzij technologie die nog lang niet zo vergevorderd is als mij was verteld. En ondertussen kan die arme kat van mij eindelijk eens ontdekken hoe fijn opponeerbare duimen eigenlijk zijn.'

De afgelopen dagen had Otto heel wat vreemde dingen meegemaakt, maar dit sloeg werkelijk alles. Alle monden in het lokaal hingen open van ontzetting.

'Ik zie aan jullie gezichten dat jullie nog even aan mij moeten wennen, maar ik kan je vertellen dat het pas echt schrikken is als je op een dag wakker wordt met een staart. Mijn hele dag was verpest. Meneer de professor heeft me ervan verzekerd dat hij de verwisseling op een dag weer ongedaan kan maken, maar op dit moment zullen jullie het met deze verschijningsvorm moeten doen. Die opvallend genoeg ook zijn voordelen heeft.' De kat sprong van het bureau en belandde keurig twee meter verderop op een hoge kruk die voor de leerlingen stond.

'Het doel van dit vak is simpel: ik ga jullie leren hoe je onzichtbaar blijft als je wordt gezocht, hoe je in stilte te werk moet gaan – dingen die de komende jaren zeer zeker van pas zullen komen. Als jullie deze cursus achter de rug hebben, zouden jullie in principe elke beveiliging of bewaking moeten kunnen omzeilen, hoe streng ook.'

De meeste leerlingen moesten zo te zien nog steeds verwerken dat ze werden toegesproken door een poes en hielden zich niet zo bezig met wat ze hier zouden leren. Het was Otto opgevallen dat de bek van de kat niet bewoog als mevrouw Leon praatte, en hij was benieuwd hoe ze het voor elkaar kreeg om überhaupt iets te zeggen. Hij keek naar de glinsterende halsband die de kat om had en zag dat de schitterende blauwe edelsteen bij haar keel in werkelijkheid een blauwe led was. Hij vermoedde dat het een soort stemapparaatje was, en dat ze haar spraakvermogen grotendeels aan Brein te danken had.

Achter hem hoorde Otto een jongen tegen zijn buurman fluisteren: 'Zou ze naar de wc of naar de kattenbak gaan?'

Mevrouw Leon sprong zo snel langs de leerlingen dat ze bijna een vage witte streep werd. Otto draaide zich om en zag dat de poes op de tafel achter hem zat, met één vlijmscherpe nagel in de neusvleugel van de plotseling doodsbenauwde jongen die de opmerking had gemaakt.

'Een poes hoort op een winderige dag dertig meter verderop een muis door het gras ritselen, dus je had je gevatte grapje net zo goed door de klas kunnen schreeuwen, dom ventje. Misschien interessant om te weten dat ik nóg zeventien van dit soort nagels heb, die allemaal dwars door je huid heen kunnen. Ze zijn stuk voor stuk even scherp als deze en ik weet precies wat de zachtste, kwetsbaarste delen van je lijf zijn. Wil je misschien nog wat andere lollige opmerkingen delen met de klas?'

'Nee, mevrouw Leon,' antwoordde de jongen met een bibberig stemmetje. Zijn gezicht was wit weggetrokken.

'Mooi zo.' Ze trok haar nagel in, liet de bange jongen los en sprong via de tafeltjes terug naar de voorkant van het lokaal.

'We beginnen met de basisprincipes over hoe je een bewakingssysteem kunt omzeilen, zodat jullie goed voorbereid zijn op jullie eerste praktijkoefeningen.' Otto zag nu dat de led heel licht knipperde als ze praatte – blijkbaar had hij het bij het rechte eind gehad.

De twintig minuten daarna zat mevrouw Leon op de kruk te praten over de grondbeginselen van infiltratie en spionage. Het viel Otto op dat hij en zijn medeleerlingen er verbazingwekkend snel aan gewend waren dat ze les kregen van een dier. Net als hijzelf werd iedereen onderhand waarschijnlijk een beetje immuun voor dit soort bizarre situaties door wat ze tot nu toe al op H.I.V.E.S. hadden meegemaakt.

'Het is dus heel belangrijk dat je alle patronen van een beveiligingssysteem leert herkennen, zodat je de gaten erin kunt ontdekken en benutten... Pardon, juffrouw Trinity. Verveel ik u?'

Otto keek net op tijd naar Shelby om te zien dat ze op haar schrift had liggen kwijlen, maar nu vlug en enigszins beschaamd rechtop ging zitten.

'U denkt wellicht dat ik u toch niets meer kan leren,' ging mevrouw Leon verder. 'Met alle praktijkervaring die u al hebt opgedaan rond dit onderwerp.'

Laura, die naast Shelby zat, keek haar kamergenootje vragend aan.

Mevrouw Leon hield haar kopje schuin en haar snorharen trilden even. 'Ach, u gaat me toch niet vertellen dat u het nog tegen niemand gezegd hebt, hè? Hier op H.I.V.E.S. hebben we geen geheimen voor elkaar. We zijn allemaal vrienden, Shelby – of moet ik je de Schim noemen?'

Het leek wel alsof Shelby voor het eerst haar masker

afzette. Haar gezicht verstrakte en ze keek de witte kat met een ijskoude blik aan.

'Ik heb geen flauw idee waar u het over hebt,' zei Shelby vlak terwijl ze mevrouw Leon bleef aanstaren.

'Nee, natuurlijk niet. Je bent bij de alfarichting gekomen omdat je van die keurig verzorgde nageltjes hebt. En het heeft niets te maken met het feit dat jij wel eens meer zou kunnen weten van de miljoenen dollars aan juwelen die het afgelopen jaar op mysterieuze wijze uit de zwaarst beveiligde kluizen ter wereld zijn verdwenen. Wat een belachelijk idee, hè?' Aan Shelby's gezicht te zien wist ze precies waar mevrouw Leon het over had. De leerlingen in het lokaal stootten elkaar druk fluisterend aan. De Schim was de afgelopen maanden een soort beroemdheid geworden, een dief die regelrecht langs alle zogenaamd ondoordringbare beveiligingssystemen wist te komen en zonder een spoor na te laten de mooiste en verfijndste sieraden had gestolen. Het enige wat de dief overal achterliet was een kaartje waarop stond: 'Veel dank, de Schim', op de plek waar eerst nog een buitensporig duur sieraad had gelegen.

In het begin hadden de verzekeringsmaatschappijen en beveiligingsbedrijven dat nog stil weten te houden, maar uiteindelijk hadden de media er lucht van gekregen. Het kaartje had de verbeelding van het publiek aangewakkerd en er werd druk gespeculeerd over wie deze onzichtbare dief zou kunnen zijn. Otto dacht niet dat veel mensen zouden hebben geloofd dat de diefstallen in werkelijkheid waren gepleegd door een dertienjarig meisje. Shelby keek eerder boos dan opgelaten nu mevrouw Leon niet alleen precies bleek te weten hoe de vork in de steel zat, maar dat ook meteen aan de hele klas had verteld.

'Het heeft waarschijnlijk weinig zin om het te ontkennen.' Shelby's stem had een koude, harde ondertoon gekregen die Otto nog niet eerder had gehoord. Het leeghoofdige, egoïstische meisje dat ze tot nu toe had gespeeld was helemaal verdwenen.

'Inderdaad, *ma chérie*. Ik heb je bezigheden met veel belangstelling gevolgd en jij kunt het nog ver schoppen. Een ruwe diamant, om het zo maar te zeggen. Niet zo bescheiden – je hebt een bijzonder en zeldzaam talent, dat hoef je heus niet voor je te houden, hoor.' Eindelijk liet mevrouw Leon Shelby's blik los en ze richtte zich weer tot de hele klas. 'Maar goed, het is dus ontzettend belangrijk dat je beveiligingspatronen kunt herkennen als je...'

Toen mevrouw Leon verderging met de les leek Shelby beter op te letten dan eerst. Ze deed net alsof ze helemaal niet in de gaten had dat alle leerlingen plotseling alleen nog maar naar haar keken, en Otto wist zeker dat hij niet de enige was die zag hoe boos ze naar hun nieuwe lerares staarde. Dat kan nog een interessante strijd worden, dacht hij bij zichzelf.

Eindelijk was de les afgelopen en zat hun eerste schooldag erop. Mevrouw Leon zei dat ze weg mochten en trippelde met opgeheven staart het lokaal uit. Een paar leerlingen waren duidelijk nieuwsgierig naar de beroemdheid die ze in hun midden bleken te hebben en liepen op Shelby af, maar die wierp hun zo'n vernietigende blik toe dat ze zich meteen bedachten en snel de aftocht bliezen. Maar Laura liet zich niet zo makkelijk uit het veld slaan.

'Was je nog van plan om me dat een keer te vertellen?' vroeg ze terwijl Shelby haar boeken in haar rugzak stopte.

'Liever niet, maar men heeft hier blijkbaar weinig respect

voor de anonimiteit van de leerlingen,' antwoordde Shelby terwijl ze kwaad haar laatste spullen in haar tas schoof.

'Je had het best tegen mij kunnen zeggen. Ik had het heus niet doorverteld, hoor.'

'Hoor eens, ik wilde het er gewoon niet over hebben. Ik wilde alleen maar zo snel mogelijk van dit klote-eiland af en weer verdergaan met mijn normale leven, maar dat wordt wel een beetje lastig nu iedereen weet ik wie ben, hè?' antwoordde Shelby boos. 'Laat me nou maar gewoon met rust.'

Laura deed met opgeheven hand een stap achteruit. 'Oké, oké. Ik wilde gewoon even vragen of het wel goed met je ging, meer niet.'

'Het gaat prima,' snauwde Shelby terwijl ze zich langs Laura richting de deur wrong.

Otto en Wing liepen naar Laura toe, die Shelby met een bezorgde blik stond na te kijken.

'Gaat het een beetje met haar?' vroeg Otto.

'Niet echt. Volgens mij had ze gehoopt het nog een tijdje geheim te kunnen houden.'

'Ik vind het inderdaad niet netjes dat ze zo publiekelijk ontmaskerd is,' zei Wing, 'maar ze had haar ware identiteit hier toch niet lang verborgen kunnen houden. Denk maar eens aan hoe goed ze was bij Tactiek. Je kunt je identiteit misschien wel geheimhouden, maar het is veel moeilijker om je talenten niet te laten zien.'

Daar dacht Otto even over na. Al de hele dag hadden ze van iedereen bijna per ongeluk een glimp van zijn of haar uitzonderlijke kwaliteiten opgevangen, en het voelde inderdaad alsof ze op de een of andere manier werden uitgelokt om te laten zien wat ze echt in hun mars hadden. Misschien reageerde hij gewoon paranoïde, maar het leek haast wel alsof de docenten meer over hun talenten te weten kwamen dan dat de leerlingen zelf iets leerden. Hij wist niet wat dr. Nero met dat soort informatie zou willen doen, maar hij was ervan overtuigd dat de leiding alles wat er gebeurde braaf aan hem zou melden.

'Nu breekt werkelijk mein klomp. Een pratende kat, kan het nog gekker?' vroeg Franz toen hij zich bij hen aansloot.

'Nou ja, Block en Tackle zijn pratende apen, dus wat dat betreft is het eigenlijk niet zo raar,' antwoordde Otto grijnzend. 'Hoewel je je volgens mij beter niet als vrijwilliger kunt opgeven voor de experimenten van professor Pike.'

'O, maar zo erg lijkt het me anders niet, hoor.' Laura glimlachte. 'Katten slapen toch driekwart van de dag? Dat lijkt mij momenteel ook wel wat.'

Otto wist wat ze bedoelde. Hij was doodmoe en zijn schouders deden pijn van het gezwaai in de entergrot. Zijn hersenen liepen over van informatie en deden hun best om alles wat ze hadden gezien en gehoord te bevatten. Ze waren de hele dag door met allerlei vreemde situaties geconfronteerd, om welke duistere reden dan ook, en iedereen was nog steeds behoorlijk overdonderd.

Nigel kwam naar hen toe en begon met Franz te kletsen over alles wat er die dag was gebeurd. Laura maakte van de gelegenheid gebruik om Otto en Wing opzij te trekken. Ze keek om zich heen of ze niet werden afgeluisterd en fluisterde: 'Shelby wil hier ook weg. Denk je dat we met haar moeten praten over wat we vanmiddag hebben besproken?'

Wing trok een wenkbrauw op naar Otto. Hij was duidelijk een beetje verbaasd dat Laura opeens ook lid bleek te zijn van het ontsnappingscomité.

'Wie weet. Probeer jij anders eens met haar te praten, als ze een beetje is afgekoeld,' stelde Otto voor.

'We moeten voorzichtig zijn. We weten nog niet precies wie we kunnen vertrouwen,' voegde Wing daaraan toe. De snelle blik die hij Otto toewierp zei dat hij niet wist of ze dit überhaupt wel met Laura moesten bespreken.

'Dat weet ik, maar we kunnen het niet alleen. Wat dat betreft is alle hulp welkom. Shelby heeft heel veel ervaring met het kraken van beveiligingssystemen en dat zou goed van pas kunnen komen. Probeer het gesprek maar zo non-chalant mogelijk te houden. We weten nog lang niet alles van haar,' zei Otto waarschuwend tegen Laura.

'Dat geldt voor ons allemaal, Otto. Als we hier echt weg willen, zullen we elkaar moeten vertrouwen,' antwoordde Laura.

Otto knikte. 'Dat weet ik wel. Wees maar gewoon voorzichtig. Als de leiding lucht krijgt van wat we van plan zijn, gaan we straks nog in een kist naar huis.'

Een uitnodiging om met dr. Nero te komen dineren kon je als docent op H.I.V.E.S. niet afslaan. En daarom zaten de Contessa, professor Pike en kolonel Francisco nu in afwachting van hun gastheer allemaal rond de eettafel van dr. Nero met elkaar te praten. Mevrouw Leon was er ook, op een groot, roodfluwelen kussen boven op een stoel, zodat ze op tafelhoogte zat. De kamer had niet misstaan in een Engels landhuis, en alleen aan de afwezigheid van ramen kon je merken dat ze ondergronds waren. Een van dr. Nero's privé-bediendes liep in een witte jas af en aan om schalen neer te zetten en drankjes in te schenken voor de gasten van de doctor. Na een paar minuten kwam Nero eindelijk binnen.

'Mijn excuses dat ik jullie heb laten wachten. Ik werd opgehouden door een aantal zaken die meer tijd kostten dan ik had voorzien.' Hij wendde zich tot zijn bediende. 'Dien de eerste gang maar op, Ivan.'

Ivan begon gehoorzaam soep in kommen te scheppen voor de aanwezige eters, met uitzondering van mevrouw Leon, die fijngehakte gerookte zalm kreeg in een zilveren schaaltje.

'En, hoe hebben de alfaleerlingen het gedaan op hun eerste dag? Geen onvoorziene problemen, neem ik aan?' vroeg Nero aan zijn gasten.

'Ze hebben allemaal naar verwachting gepresteerd,' antwoordde Francisco. 'Je had gelijk wat het meisje betreft, ze was erg goed. De anderen hebben het allemaal gedaan zoals voorspeld – Fanchu en Malpense konden het heel aardig, maar de rest bakte er natuurlijk niks van. Het zal even duren, maar uiteindelijk krijg ik ze wel op niveau.'

Nero knikte. 'Tabitha, bij jou nog problemen?'

Mevrouw Leon keek op van haar kom. 'Nee. Zoals jij al had verwacht, had juffrouw Trinity haar ware identiteit nog niet onthuld aan haar klasgenoten. Maar ik heb de kat de bel aangebonden, om het zo maar even te zeggen. Ze is echt ontmaskerd, en zo zal ze zich ook wel voelen.'

'Mooi. Misschien had ze haar vrienden op een gegeven moment wel de waarheid verteld, maar ik stel dat soort dingen liever niet onnodig lang uit.' Nero wendde zich tot professor Pike. 'Professor, is uw les volgens plan verlopen?'

'Ja, Malpense heeft het gedaan zoals u had voorspeld, maar dat meisje, Brand, was beter dan ik had verwacht. Het ziet ernaar uit dat haar technologische kennis verder reikt dan alleen computers. Ik zou misschien zelfs wel een aantal van hun voorgestelde veranderingen kunnen gebruiken in de nieuwe versie van de Poseidon – het energieverbruik zou met een kwart kunnen worden verminderd. Hun slimme gebruik van meerdere fascreeksen zou een geometrisch oplopende vermeerdering van de trillingsresonantie kunnen opleveren met...'

'Bedankt, professor, de details bespreken we later nog wel. Verder geen problemen?' vroeg Nero.

'Malpense heeft zich precies zo gedragen als u had voorspeld, doctor.'

'Uitstekend.' Nero had niet aan de andere tafelgasten verteld wie Otto's sponsor was. Hij had zelf nog te veel onbeantwoorde vragen om nu al mee te delen dat Nummer Eén persoonlijk interesse in de jongen had getoond. Gelukkig waren de leraren eraan gewend dat Nero altijd één of twee leerlingen uit elke nieuwe lichting pikte, zodat ze zijn vragen over de jongen niet heel opmerkelijk vonden. Sinds die keer dat Nero jaren geleden had gezegd dat ze Diabolus Doemduister extra goed in de gaten moesten houden, had de leiding het volste vertrouwen in zijn oog voor talent.

'Als die twee zulke technische wonderkinderen zijn, dan zou u hen misschien kunnen inschakelen om mij weer in het juiste lichaam te krijgen, professor. Volgens mij kunt u wel wat hulp gebruiken.' Mevrouw Leon deed geen enkele poging om de minachting in haar stem te verbergen.

'Ik heb toch al gezegd dat ik ermee bezig ben. Dit was een

onvoorziene bijwerking. Het kost tijd om het proces weer veilig om te keren. Als u nou nog aan een paar testen zou willen meewerken, dan kon ik...'

'U zult vast wel begrijpen dat ik ietwat huiverig ben om mijzelf aan nog meer experimenten van u te onderwerpen, professor. U boekt de laatste tijd erg teleurstellende resultaten. En hoewel deze nieuwe verschijningsvorm ook beslist interessante kanten kent, word ik erg moe van het feit dat u kennelijk niet in staat bent om uw fouten ongedaan te maken.' De vacht op de rug van mevrouw Leon ging een beetje overeind staan.

'Ik heb u gewaarschuwd dat we nog in de experimentele fase zaten, maar u stond erop dat...'

'U zei dat het misschien niet zou wérken. U hebt niet gezegd dat er een kans bestond dat ik wakker zou worden met een onbedwingbare behoefte om door mijn kamer achter bolletjes wol aan te rennen. Mij waren behendigheid en extra scherpe zintuigen beloofd, geen haarballen en klauwen. Misschien moet ik een andere manier bedenken om u wat harder uw best te laten doen.' Mevrouw Leon stak een van haar poten omhoog en sloeg haar vlijmscherpe nagels uit.

'Tabitha, als je gaat dreigen word je misschien wel nooit meer...'

'Zo is het wel genoeg!' zei Nero boos. 'Ik ben het zat om jullie gekift te moeten aanhoren. Nummer Eén heeft de professor persoonlijk opdracht gegeven om verder te werken aan dit onderzoek, en een betere motivatie om hard aan de slag te gaan is er volgens mij niet. Niemand wil Nummer Eén teleurstellen. Tabitha, ik begrijp je frustraties, maar je zult geduld moeten hebben. Je eigen lichaam

ligt veilig in de koelcel, en zodra de procedure weer ongedaan gemaakt kan worden, zal dat gebeuren. En professor,
jij moet twee keer zo hard aan het werk. Nummer Eén wil
resultaten zien, geen smoesjes horen, en je weet net zo
goed als ik dat hij niet bekendstaat om zijn geduld.'

De twee docenten werden stil. Ze hadden al lang geleden
geleerd dat je bij Nero niet te ver moest gaan. Maar hij
maakte zich wel zorgen over het feit dat de twee steeds
vaker van dit soort aanvaringen hadden – hij vroeg zich af
hoe lang hij zou kunnen voorkomen dat ze elkaar naar de
keel vlogen. Letterlijk, in het geval van mevrouw Leon.

'Hoe zit het met die zoon van Doemduister?' vroeg de
Contessa. 'Kunnen we van hem geen grootse dingen verwachten?'

'Ik ben er nog niet helemaal uit,' antwoordde Nero. 'Ik
had gehoopt dat een les over zijn vaders successen hem
zou inspireren, maar volgens mij lijkt hij niet erg op zijn
vader toen die hier voor het eerst kwam.'

'Misschien moet hij nog even wennen,' zei de Contessa.
'Ik zou het erg vervelend vinden als al mijn moeite om zijn
moeder ervan te overtuigen dat hij naar deze school moest
voor niets is geweest.'

'Ik neem aan dat hij nog niets weet van de ware omstandigheden rond zijn vaders dood?' vroeg de kolonel terwijl
hij een slok uit zijn glas nam. De andere leraren keken
opgelaten toen ze die vraag hoorden.

'Nee,' antwoordde Nero, 'en ik ga ervan uit dat jullie er
allemaal voor zullen zorgen dat dat zo blijft. We hebben
momenteel al genoeg aan ons hoofd.'

Hoofdstuk 11

Het rooster van Otto en de andere leerlingen bleef meedogenloos in de maanden daarna. Hun nieuwe opleiding raasde met een rotgang verder en het zag er niet naar uit dat ze binnenkort even rust zouden krijgen. Het ene moment leerden ze hoe ze het nieuwste type zwaar beveiligde kluizen moesten kraken, en het volgende moment waren ze verdiept in wat er allemaal bij de bouw van een geheim ruimtevaartcentrum kwam kijken. Het was keihard werken, en voor mensen die dit slopende tempo niet aankonden, leek er op H.I.V.E.S. geen plek. Otto vond de lessen pittig, maar kon ze wel goed bijhouden; met zijn eigen bijzondere kwaliteiten wist hij zich snel aan zijn nieuwe leven aan te passen. Het enige waar hij echt moeite mee had was het vak Politiek & Economie, niet omdat dat nou zo moeilijk was, maar gewoon omdat hij het slaapverwekkend saai vond. Net als iedereen vond hij het lastig om uit te blinken in iets waar hij zich niet of nauwelijks voor interesseerde. Franz daarentegen had laten zien over een bijzondere aanleg voor 'creatief' boekhouden te beschikken – hij bleek zo goed in het wegsluizen en herdistribueren van geld dat zelfs de docenten niet konden achterhalen wat hij met de fictieve fondsen uit de oefeningen had gedaan.

Wing bleef uitblinken in Tactiek. Tijdens de lessen van de kolonel was er zelfs een soort vriendelijke rivaliteit ontstaan tussen hem en Shelby, en hun wedstrijdjes door de entergrot werden steeds angstaanjagender om naar te kijken. Shelby was zich heel anders gaan gedragen nadat ze zo publiekelijk was ontmaskerd in de eerste les van mevrouw Leon. Het verwende wicht dat ze de eerste dagen had gespeeld was verdwenen, en in plaats daarvan was ze rustig en zelfverzekerd geworden, met af en toe een paar hilarische maar bijtend sarcastische opmerkingen. Ze nam het mevrouw Leon echter nog steeds kwalijk dat die haar ware identiteit aan de klas had onthuld, en in de weken daarna bleven de twee met elkaar bekvechten. Ze deden Otto denken aan twee boksers die om elkaar heen dansten, op zoek naar een opening om de ander de genadeslag te geven. Dat Shelby zoveel kon maken bij mevrouw Leon kwam volgens hem alleen doordat ze zo ontzettend goed was in Geheime Operaties. Ze deed haar bijnaam eer aan, want ze leek als een soort geestverschijning onzichtbaar te kunnen worden wanneer ze maar wilde.

Shelby en Laura waren dikke vriendinnen geworden. Dat lag deels aan de lange nachtelijke gesprekken in hun kamer en deels aan het feit dat Laura erin was geslaagd om Shelby bij hun plan te betrekken om van het eiland te ontsnappen. Eerst had ze daar niet zo'n zin in gehad en had ze gezegd dat ze 'liever in haar eentje werkte', maar net als Otto had ze zich al snel gerealiseerd dat ze moesten samenwerken om te kunnen ontsnappen. En zelfs dan was het nog maar de vraag of het ging lukken.

De enige die echt veel moeite leek te hebben met het leven op H.I.V.E.S. was Nigel. Dagenlang leek hij bij elke les alleen maar ongelukkiger te worden, en het hielp ook niet echt dat alle leraren hogere verwachtingen van hem hadden dan van andere leerlingen. Hij werd zo vaak door een docent aangewezen om een extra moeilijke vraag te beantwoorden dat Otto de tel was kwijtgeraakt, en zijn slechte prestaties werden telkens weer in zijn nadeel vergeleken met de successen van zijn vader. De naam Doemduister was een last die hij geacht werd zonder morren te dragen, maar Otto betwijfelde sterk of Nigel wel echt geschikt was voor de alfarichting. Het enige vak dat hem zonder problemen afging was Biotechnologie, waar hij zoveel van wist dat het de docenten en zelfs zijn klasgenoten verbaasde. Nigel leek zich dan ook alleen echt op zijn gemak te voelen in de hydrokas, waar hij al snel gefascineerd raakte door de vleesetende planten die door H.I.V.E.S. gekweekt werden om experimenten mee uit te voeren. Nigel had Otto een keer meegevraagd om ze te eten te geven, en hij had versteld gestaan van de zorg waarmee Nigel alle verschillende soorten planten insecten had gevoerd.

'Vroeger verzorgde ik altijd de tuinen met mijn moeder,' had hij uitgelegd. 'Dit doet me aan thuis denken.'

Otto had geen last van heimwee, maar hij leek de enige. Vooral Laura miste haar ouders heel erg en weigerde te geloven dat die toestemming hadden gegeven voor haar ontvoering. Ze wilde naar huis – ze was er vast van overtuigd dat haar vader en moeder doodongerust waren omdat ze was verdwenen, en het frustreerde haar dat ze hun niet kon laten weten dat het goed met haar ging. Dat was echter slechts een van de redenen waardoor hun 'buitenschoolse activiteiten' zo hard opschoten: als ze wilden ontsnappen moest dat snel gebeuren. Hoe langer ze op het eiland bleven, hoe groter de kans werd dat iemand hen zou betrappen.

Pas aan het eind van hun eerste maand op H.I.V.E.S. had Otto de details van zijn idee aan Wing, Laura en Shelby uitgelegd. Ze hadden met z'n viertjes in een stil hoekje van het atrium gezeten terwijl Otto heel zachtjes uit de doeken had gedaan hoe ze zouden ontsnappen. Zoals Otto al had verwacht werd zijn voorstel in eerste instantie ronduit sceptisch ontvangen. Vooral Shelby leek er openlijk aan te twijfelen dat ze met z'n vieren zouden kunnen doen wat Otto had bedacht zonder gesnapt te worden. Maar daar was Otto op voorbereid geweest, en hij had zijn drie medesamenzweerders gerustgesteld door het plan stap voor stap door te nemen en al hun vragen naar tevredenheid te beantwoorden. Na een paar van dit soort geheime vergaderingen raakten ze er langzamerhand van overtuigd dat het echt zou kunnen lukken. Vervolgens had Otto hun een aantal praktische problemen voorgelegd die eerst moesten worden opgelost voordat ze überhaupt aan een ontsnappingspoging konden beginnen.

Eerst had hij de lijst met onderdelen opgenoemd waarmee hij en Laura de apparatuur konden bouwen die ze nodig hadden. Otto dacht dat hij een aantal van de wat gewonere dingen zelf wel uit het Technieklokaal zou kunnen meesmokkelen, want professor Pike lette toch nauwelijks op zijn leerlingen tijdens de les. Maar het zou lastiger zijn om aan een paar andere, minder gebruikelijke onderdelen te komen. Hij wist wel waar hij sommige dingen kon vinden, maar die werden waarschijnlijk streng bewaakt. Hij had het met Shelby besproken en na een discreet onderzoek van een paar dagen had ze hem verzekerd dat ze ongemerkt aan de benodigde spullen kon komen. Toen was het Otto's beurt om sceptisch te zijn – hij wist wel dat ze gespecialiseerd was in ingewikkelde diefstallen, maar nu zou haar talent pas echt op de proef gesteld worden.

Hij was dan ook stomverbaasd toen Shelby een paar dagen later al de kamer van Otto en Wing binnenliep en zorgvuldig elk voorwerp van de lijst op het bed legde. Otto had zichzelf bezworen dat hij voortaan meer vertrouwen in haar kwaliteiten zou hebben. Daarna waren Otto en Laura aan de slag gegaan om van de verschillende onderdelen iets bruikbaars te maken. Otto had elke centimeter van hun kamer onderzocht en was er negenennegentig procent zeker van dat er geen camera's aanwezig waren, dus hadden ze hun badkamers zolang ingericht als werkplaats. Als ze echt in de gaten gehouden werden, zouden ze dat snel genoeg merken nu ze aan hun geheime technologieproject waren begonnen. Uiteindelijk kregen ze het apparaat af zonder dat de badkamerdeur door binnenstormende bewakers werd ingetrapt, wat hopelijk betekende dat niemand hun werkzaamheden in de gaten had gehad. En zo kon het gebeuren dat ze eind november eindelijk klaar waren om hun ontsnappingspoging te wagen. Otto maakte zich wel wat zorgen over bepaalde onderdelen van het plan die in zijn ogen nog te veel van geluk afhingen, maar ze konden het zich niet permitteren om daar lang bij stil te staan. Ze prikten een datum en toen die allesbepalende dag naderde, begon Otto onwillekeurig toch een beetje zenuwachtig en gespannen te worden. H.I.V.E.S. was beslist een unieke school, en hij had veel vakken erg interessant gevonden, maar hij voelde zich nog steeds als een proefrat in een doolhof. Stiekem was hij bang dat hij, als hij nog langer zou blijven, de opleiding misschien te leuk zou gaan vinden, en dat zou het alleen nog maar moeilijker maken om weg te gaan. Een klein stemmetje in zijn achterhoofd bleef maar zeuren waar hij eigenlijk zo graag naar terug wilde. Het weeshuis was dan wel jaren zijn thuis geweest, maar hij miste het lang niet zo erg als hij had gedacht en hij kon daar ook moeilijk de rest van zijn leven blijven zitten. Hoe harder het stemmetje begon te praten, hoe stelliger Otto tegen zichzelf zei dat hij nú weg moest, voordat hij zijn twijfels niet langer zou kunnen negeren.

'Het spreekt dan ook voor zich dat deze plantensoort met zo'n krachtige combinatie van natuurlijk zenuwgif zeer veel mogelijkheden biedt. Wellicht dat de teelt op grote schaal zelfs...'

PWEH, PWEEEEH, PWEH!!!!

De bel galmde door de hydrokoepel en overstemde de laatste woorden van mevrouw Gonzales, de lerares Biotechnologie. Iedereen begon zijn tas in te pakken en ze verhief haar stem: 'Denk eraan, ik wil dat jullie voor volgende week allemaal een opstel af hebben over de genetische manipulatie van groei-eigenschappen bij zaadplanten.'

Otto kon een glimlachje niet onderdrukken. Als alles vanavond volgens plan verliep, hoefde hij zich over dat huiswerk geen zorgen meer te maken.

Wing ving Otto's blik op en grijnsde.

'Misschien moeten we onze opstellen maar naar haar opsturen,' zei Otto en legde toen snel zijn vinger op zijn lippen omdat hij zag dat Nigel eraan kwam.

'Hé jongens,' zei Nigel ongewoon vrolijk. 'Gaan jullie

meteen naar de kantine of hebben jullie even tijd om naar een van mijn projecten te komen kijken?'

Otto zwaaide zijn rugzak over zijn schouder. 'Ik heb geen haast, hoor. Ik wil wel eens zien wat de mysterieuze Doemduister in zijn lab heeft zitten bekokstoven.'

Nigel schonk hem een stralende glimlach. 'Cool. Ga jij ook mee, Wing?'

'Uiteraard, hoewel ik er meteen maar bij zeg dat ik altijd behoorlijk nerveus word van die insectenetende planten van jou.' Wing maakte geen grapje. Hij hield niet van de manier waarop een onschuldig ogende plant kon verhullen dat hij eigenlijk een moordenaar was, ook al doodde hij alleen maar kleine beestjes.

'O, maar dit is veel leuker, echt,' antwoordde Nigel opvallend trots. 'Kom op.' Hij gebaarde dat Otto en Wing hem moesten volgen naar een trap een eindje verderop.

Ze liepen door een luchtdichte deur en over een lange loopbrug die boven de hete, tropische kas hing die in dit deel van de hydrokoepel was gecreëerd. Uiteindelijk gingen ze weer een deur door en kwamen ze in een klein kamertje met glaswanden die op het zorgvuldig in stand gehouden oerwoud onder hen uitkeken. Midden op een van de werktafels in de piepkleine ruimte stond een groot vierkant voorwerp met een zwarte doek eroverheen.

'We moeten zachtjes praten – ze is erg gevoelig voor geluid,' fluisterde Nigel.

Wing wierp Otto even een verbaasde, nieuwsgierige blik toe terwijl Nigel naar het ding toe liep. Otto haalde heel licht zijn schouders op. Een paar weken geleden had Nigel opgewonden verteld dat hij van mevrouw Gonzales een van de lege kamers van de hydrokoepel mocht gebruiken voor extra onderzoek. Otto wist nog dat hij blij was geweest dat Nigel iets had gevonden waar hij lol in had, vooral omdat hij zo slecht was in de andere vakken. Nu kregen ze dan blijkbaar eindelijk te zien wat hij in dit kleine kamertje had uitgespookt.

'Kom maar wat dichterbij,' zei Nigel, en Otto en Wing gingen gehoorzaam rond de geheimzinnige kubus staan.

'Heren, met groot genoegen stel ik jullie voor aan Violet.' Met een zwierig gebaar trok Nigel de doek weg en er kwam een glazen bak tevoorschijn met daarin de vreemdste plant die ze ooit hadden gezien. Hij zag eruit als een venusvliegenvanger, een vleesetende plant, op een vijftien centimeter lange steel, maar in plaats van de zachte, soepele voelharen die normaal gesproken de 'tanden' van de plant vormden, had dit exemplaar lange, scherpe doornen. Aan de onderkant van de steel zaten stekelige bladeren en lange tentakels die af en toe door de lucht wiegden, alsof ze op zoek waren naar een prooi. Nigel keek opgetogen toen hij de verbijsterde blikken van Otto en Wing zag.

'Mooi is ze, hè?' verzuchtte Nigel. 'Ik heb er eindeloos over gedaan om de juiste eigenschappen uit mijn andere planten in de goede volgorde te zetten, maar ze is het allemaal waard geweest.' Hij trok een plastic bak op de werktafel open en haalde er een lange dikke regenworm uit. 'Moet je kijken.'

Nigel liet de regenworm naast de plant op de aarde vallen. Violet reageerde snel en meedogenloos. De tentakels onder aan de plant kronkelden zich om de worm heen terwijl de kaak met tanden zich aan zijn buigbare steel razendsnel omlaag boog, het weerloze beestje vastgreep en binnen een paar seconden verzwolg. Op Wings gezicht stond een mengeling van fascinatie en afkeer.

'Dat is werkelijk een van de akeligste dingen die ik ooit heb gezien,' zei hij zacht. 'Hoe heb je dat ding gemaakt?'

'O, een gemodificeerd gennetje hier, een beetje kruisbestuiving daar. Gewoon, je kent het wel.' Nigel zag eruit alsof hij elk moment uit elkaar kon klappen van trots.

'Heel bijzonder, Nigel, echt heel bijzonder,' zei Otto, die zijn ogen niet van de laatste stuiptrekkingen van die arme worm kon afhouden.

'Ik heb haar nog niet aan mevrouw Gonzales laten zien. Ik ben bang dat ze misschien experimenten met haar willen doen. Dus jullie mogen het aan niemand vertellen, goed?' Hij keek hen ernstig aan – dit was duidelijk heel belangrijk voor hem.

'Ik zal mijn mond houden, Nigel, maak je geen zorgen.' Otto dacht bij zichzelf dat hij na vanavond niemand op H.I.V.E.S. nog over Violet kon vertellen, al zou hij het willen.

'Ik zal het geheimhouden,' zei Wing ernstig, 'als je belooft dat je haar nooit meer te eten geeft waar ik bij ben.'

'Bedankt, jongens.' Nigel lachte opnieuw. 'Echt heel fijn. Jullie weten hoe slecht ik in de andere vakken ben. Ik wil Biotechnologie niet ook nog eens verprutsen. Ik wou dat ik haar aan mijn moeder kon laten zien – ze zou vast supertrots op me zijn.'

Otto voelde een bekend schuldgevoel knagen. Hij had meerdere keren tot diep in de nacht met Wing overlegd of ze Nigel wel of niet mee zouden nemen. Helaas waren ze telkens tot dezelfde conclusie gekomen: Nigel zou een blok aan hun been vormen. Hij zou hen nooit bij kunnen houden als het moment daar was en hen alleen maar afremmen terwijl ze juist vreselijk snel moesten zijn. Desondanks vond Otto het verschrikkelijk dat ze de kleine kale jongen alleen zouden achterlaten.

'Ze is nog maar twee dagen oud. Je moest eens weten hoe hard ze al gegroeid is, en ze gaat maar door. Over een paar weken herken je haar niet meer terug.' Nigel wierp zijn weer rustig geworden plant een trotse blik toe. 'Ze rust altijd even uit nadat ze een prooi heeft gegeten,' legde hij uit. 'Schattig, hè?'

Tijd om weer eens op te stappen, dacht Otto. 'Kom, Wing. Nu ik Violet heb zien eten heb ik zelf ook trek gekregen. Laten we gauw gaan lunchen voor alles op is.'

Wing knikte. 'Ga je mee, Nigel?'

'Nee, ik wil nog een paar dingen uittesten bij Violet. Ik zie jullie straks. Leuk dat jullie haar wilden ontmoeten,' antwoordde Nigel blij.

'Tuurlijk. Over een paar dagen komen we nog een keer kijken,' zei Otto. Terwijl ze wegliepen hoorden ze hem enthousiast tegen zijn nieuwe vriendin kletsen en Otto voelde zich nog steeds schuldig dat ze tegen hem moesten liegen.

Otto, Wing, Shelby en Laura zaten aan een tafel in een van de wat rustiger hoekjes van de kantine en praatten zachtjes met elkaar tijdens het eten.

'Alles is klaar. Vanavond gaan we,' fluisterde Otto, terwijl hij behoedzaam om zich heen keek om te zien of er niemand in de buurt was die hen zou kunnen afluisteren.

'We kunnen niets meer doen,' antwoordde Laura. 'Hoewel ik het nog steeds vervelend vind dat we het apparaat niet kunnen testen. We moeten maar bidden dat Otto en ik geen verkeerde berekeningen hebben gemaakt.'

'Nou, ik krijg er steeds meer vertrouwen in,' antwoordde Shelby sarcastisch. Ze leek opvallend zenuwachtig.

'We weten zeker dat hij het doet. Theoretisch klopt alles,' stelde Otto haar gerust. 'De onderdelen die jij hebt aangeleverd waren perfect; er is geen reden waarom het niet goed zou gaan.' Hij probeerde zelfverzekerder te klinken dan hij zich voelde. Ook hij zou willen dat ze meer testen hadden kunnen doen, maar juist bij dit apparaat hadden ze maar één kans, en die moest goed gaan.

'Als we ons aan het plan houden gaat het lukken,' zei Wing kalm. Hij leek immuun voor de zenuwen die de anderen in hun greep hielden. 'We moeten gewoon hopen dat we niet met onvoorziene omstandigheden te maken krijgen.'

Wing had gelijk. Otto wist dat ze niet alle risico's konden uitsluiten, maar ook hij maakte zich met name zorgen om onvoorspelbare factoren die het plan volledig in de war konden schoppen.

'Jullie moeten de komende uren goed opletten of je iets ziet wat voor problemen kan zorgen. Als we eenmaal begonnen zijn kunnen we niet meer stoppen – het is alles of niets.' Otto wist dat elk piepklein detail belangrijk kon zijn.

'We gaan ervoor, of we gaan eraan,' antwoordde Shelby.

Otto trok een grimas. 'Al zou ik het toch liever anders verwoorden.'

Otto en Wing lieten Shelby en Laura achter in de kantine. Ze konden beter niet meer met elkaar gezien worden; iedereen wist wat hem of haar te doen stond. Wing leek een beetje afwezig toen ze naar het woongedeelte liepen. Hij was opvallend stil.

'Maak je je zorgen?' vroeg Otto.

'Er is nog één ding waar ik niet helemaal uit ben. Als het plan slaagt en we keren terug naar de bewoonde wereld, vertellen we anderen dan over H.I.V.E.S.?' vroeg Wing. Het was een probleem waar Otto ook al een tijdje mee worstelde.

'Nee,' antwoordde Otto stellig.

'Waarom niet? En de andere leerlingen hier dan?' Wing leek op een andere reactie van Otto gehoopt te hebben.

'Als je in een boom langs een wespennest bent gekropen ga je toch ook niet terug om er met een stok tegenaan te meppen,' antwoordde Otto.

'Ik geloof niet dat ik helemaal begrijp wat je bedoelt.' Wing bleef staan en draaide zich om om Otto aan te kunnen kijken. 'Het is toch zeker onze plicht om de anderen te bevrijden. We kunnen hen niet zomaar in de steek laten.'

'Wel waar. Als we de school verraden, is het meteen duidelijk dat wij daar verantwoordelijk voor zijn. En ik weet zeker dat ze ons dan nog één laatste lesje komen leren.' Otto vroeg zich af of Wing er wel net zo goed over nagedacht had als hij.

'Dus we moeten onze mond houden omdat we bang zijn?'

Otto probeerde rustig te blijven. Hij kon echt gek worden van Wing als hij zo praatte – het leek wel of hij alles alleen maar in zwart-wit kon zien. 'Nee, we moeten verdwijnen.

Als H.I.V.E.S. ons niet kan vinden, kunnen ze ons ook niet vermoorden. En trouwens, wat denk je dat er met de andere leerlingen gebeurt als H.I.V.E.S. aan het licht komt? Denk je echt dat Nero hen bedankt voor hun tijd en vervolgens netjes uitzwaait? Nee, ze zullen proberen om alle sporen uit te wissen, en als dat betekent dat ze de leerlingen ook moeten uitwissen, dan doen ze dat. Met zoutzuur, waarschijnlijk.'

Wing keek Otto bedachtzaam aan, alsof hij in zijn hoofd probeerde te kijken.

'Je zult wel gelijk hebben,' verzuchtte hij. 'Maar ik blijf het oneerlijk vinden om de anderen zo aan hun lot over te laten.'

'Er staat ze nog een veel erger lot te wachten als we letterlijk uit de school klappen.' Plotseling bleef Otto staan omdat hij iemand door de gang naar hen toe zag lopen. 'O, nee hè...' Wing draaide zich om en daar stonden Block en Tackle, nog geen tien meter verderop. Block hield een loden pijp vast.

'Och jee, volgens mij zie ik daar een stel verdwaalde wormen, meneer Tackle,' zei Block terwijl hij met de pijp in zijn handpalm tikte.

'We zullen ze eens even de weg wijzen, meneer Block,' antwoordde Tackle grijnzend. Toen de twee bullebakken op hen af liepen viel het Otto opeens op dat de gang helemaal verlaten was.

'Ga achter me staan,' zei Wing tegen Otto. 'Als ze aanvallen ga je ervandoor.'

'Echt niet, Wing. Ik laat je niet alleen achter met die twee.' Otto klonk dapperder dan hij zich voelde. Hij dacht niet dat hij ook maar een schijn van kans maakte om een van de handlangers weer op dezelfde manier uit te schakelen als die eerste dag in de kantine. Soms kun je je tegenstander heel goed tegen de grond werken door op bepaalde zenuwpunten te drukken, maar dat lukt alleen als je iemand kunt verrassen, en dat ging nu niet meer. Helaas suggereerde de loden pijp waar Block mee liep te zwaaien dat het Block en Tackle menens was.

'Goed dan, laat die jongen met de pijp maar aan mij over. Probeer die andere zo lang mogelijk op afstand te houden. Beloof me dat je weg zult rennen als ik knock-out ga,' antwoordde Wing, die zijn ogen al die tijd strak op hun twee belagers gericht hield.

'Als jij knock-out gaat, lig ik waarschijnlijk allang op de grond.' Otto werd opeens bang en hij slikte moeizaam. Angst was een emotie die hij niet vaak voelde, en hij haatte het zwakke en verwarde gevoel dat het hem gaf.

Wing deed een stap naar de twee bullebakken toe, waardoor zij moesten blijven staan. Hij had een vechthouding aangenomen, en heel even schoot er een twijfelende blik over de gezichten van de twee handlangers.

Wing begon met een kalme, heldere stem te praten. 'Er zijn drieëntwintig manieren om het vanuit deze positie tegen een met een stomp voorwerp gewapende aanvaller op te nemen. Bij vier van die manieren ga je dood, twaalf zullen je blijvende schade toebrengen en de overige zeven veroorzaken verwondingen die weliswaar uitermate pijnlijk zijn, maar waar je wel weer van zult genezen. In alle gevallen pak ik die pijp van je af om hem zelf tegen jou te gebruiken. Jij mag kiezen.'

De zelfverzekerde, arrogante uitdrukking van Block en Tackle verdween als sneeuw voor de zon. Block keek zenuwachtig naar zijn maat en zei onzeker: 'Kom op man, we peren 'm.' Hij draaide zich om, alsof hij weg wilde lopen. Toen rende hij met een moordzuchtig gebrul op Wing af en zwaaide de pijp met een gemene boog recht op diens hoofd af.

Wing bewoog zich verbluffend snel; zijn hand schoot omhoog en ving de pijp met een harde klap op, wat Block niet verwacht had. Hij deed een stap naar de kolossale jongen toe, draaide de pijp behendig uit zijn vingers, verplaatste hem in zijn eigen hand en sloeg zijn belager met een korte zwaai in zijn maag. Block greep dubbelgeklapt naar zijn buik en hapte naar lucht. Toen hij dat zag, slaakte Tackle een woeste kreet en sloeg met zijn vuist, die zo groot als een meloen was, naar Wings gezicht. Wing weerde de klap bovenhands af zodat Tackle uit zijn evenwicht raakte, en gaf hem met zijn andere hand een harde stomp onder zijn oksel, waarop de grote jongen het uitschreeuwde van de pijn. De twee aanvallers deden een paar stappen achteruit terwijl Wing de pijp over zijn schouder gooide en kalm dezelfde pose aannam als een paar seconden daarvoor. Tackles arm, die door Wings klap kennelijk niet meer functioneerde, hing slap langs zijn zij, en Block stond nog steeds hijgend op adem te komen.

'Jij... vindt jezelf... heel... stoer, hè?' wist Block eruit te persen terwijl hij woedend naar Wing keek.

'Nee, maar ik vind jou wel heel langzaam en onhandig,' antwoordde Wing rustig. Het klonk als een constatering, niet spottend.

'Jij bent straks ook heel onhandig als ik al je vingers heb gebroken,' gromde Tackle terwijl hij een omtrekkende beweging naar Wings linkerkant maakte. Block liep de andere kant op – blijkbaar deden ze een poging hem te omsingelen. Otto pakte stilletjes de pijp op van de plek waar Wing hem had neergegooid. Plotseling vlogen de twee handlangersleerlingen tegelijk op Wing af. Wing sprong omhoog. Zijn voet raakte de aanstormende Block keurig onder zijn kin, waardoor zijn hoofd naar achteren klapte en hij achterwaarts op de grond terechtkwam. Terwijl zijn kameraad in elkaar stortte, haalde Tackle uit naar Wing, maar Wing dook weg en stompte hem weer op dezelfde manier als daarvoor, maar dit keer onder zijn andere oksel. Opnieuw brulde de jongen het uit van de pijn, terwijl hij vlug achteruitdeinsde. Wing liep naar Tackle toe, wiens armen niet meer leken te willen doen wat hij zei.

'Hou op, ik wil je niet nog erger verwonden,' zei Wing rustig tegen hem.

'O nee? Nou, ik wil jou wél erger verwonden,' antwoordde Tackle terwijl hij zijn hand in zijn overall stak en een gevaarlijk uitziend mes tevoorschijn haalde.

'Wing! Vangen!' riep Otto terwijl hij de pijp naar zijn vriend gooide. Het ding wentelde door de lucht en Wing draaide zich op het laatste moment om om hem op te vangen... met zijn voorhoofd. Hij kreunde en zakte bewusteloos in elkaar. Otto's ogen werden groot van schrik. Wat had hij gedaan?

De kortstondige verbazing op Tackles gezicht maakte plaats voor een boosaardige grijns. Hij keek omlaag naar Wings levenloze lichaam.

'Jou krijg ik straks nog wel, karatekampioen.' Hij keek op naar Otto. 'Maar eerst ben jij aan de beurt, bleekscheet.'

Terwijl Tackle op hem af kwam keek Otto wanhopig om zich heen of hij iets zag waarmee hij zich kon verdedigen. Block was ook weer overeind gekomen en raapte de pijp op die naast Wing lag. Samen liepen ze door de gang naar Otto toe.

'Ik ga je pletten, worm,' gromde Block. Otto kon geen kant op.

Nou, strijdend ten onder dan maar, dacht Otto bij zichzelf terwijl hij dezelfde vechthouding aannam als hij Wing had zien doen. Hij hoopte vurig dat Tackle en Block niet zouden beseffen dat hij geen flauw idee had hoe hij zich net als Wing moest verdedigen.

Plotseling werden de ogen van Block en Tackle groot van schrik. Block liet de pijp rinkelend op de grond vallen en deinsde achteruit terwijl hij zijn hand afwerend omhoog stak.

'Het spijt me, het spijt me! Doe me alsjeblieft geen pijn, o help!' piepte Block dramatisch. Hij draaide zich om en sprintte weg door de gang.

'Het was maar een geintje, we wilden hem niet echt pijn doen,' riep Tackle schril terwijl hij het mes liet vallen en achter zijn vriend aan vloog. Otto stond versteld. Had hij echt zo veel overwicht uitgestraald?

Maar wat Otto niet gezien had, was dat terwijl de handlangers op hem af liepen, er achter hem een in het zwart geklede figuur uit de schaduwen van het plafond tevoorschijn was gekomen die geruisloos op de grond was gesprongen. Met één hand had ze een van de Japanse zwaarden die ze op haar rug droeg een stukje uit de schede getrokken, zodat de kling glinsterde in het licht van de ganglampen. Met de andere hand had ze een waarschuwende vinger naar Block en Tackle geschud. Het was dan ook niet meer dan logisch dat die doodsbang reageerden toen ze zagen dat Raaf, de meest gevreesde moordenaar van de school, Otto blijkbaar persoonlijk beschermde. Maar Otto had geen idee dat ze er überhaupt geweest was. Ze had zich allang weer in de schaduwen teruggetrokken, net zo stil en snel als ze was gekomen.

Otto rende op Wing af en zag tot zijn opluchting dat hij weer bijkwam en zichzelf hoofdschuddend overeind duwde.

'Gaat het?' vroeg Otto dringend.

'Ik overleef het wel.' Wing keek nog net op tijd de gang in om te zien hoe Block en Tackle de hoek om renden en uit het zicht verdwenen. Hij greep met een van pijn vertrokken gezicht naar zijn voorhoofd.

'Het spijt me heel erg, Wing. Weet je zeker dat het gaat?' Otto vond het verschrikkelijk dat hij hem pijn had gedaan.

'Maak je maar niet druk, Otto. Je probeerde me alleen maar te helpen.' Wing glimlachte. 'En ik heb bovendien wel ergere dingen overleefd, neem dat maar van me aan. Wat heb je met die twee gedaan?' Wing gebaarde met zijn duim naar de gang waarin Block en Tackle het hazenpad hadden gekozen.

Otto trok Wing overeind en glimlachte onzeker. 'Zal ik je eens wat vertellen? Ik heb geen flauw idee.'

Otto voelde zich behoorlijk schuldig toen hij met Wing naar de ziekenboeg liep om de buil op zijn voorhoofd te laten onderzoeken. Wing had meerdere keren gezegd dat hij zich prima voelde en dat hij niet naar de dokter hoefde, maar Otto stond erop.

Zoals verwacht keek de dokter nogal cynisch bij hun uitleg dat Wing was gevallen en met zijn hoofd op een bureau terecht was gekomen. Gelukkig vroeg hij er verder niet over door en hij verzekerde Wing dat hij er alleen een lichte hoofdpijn aan zou overhouden.

Toen ze de ziekenboeg weer uit kwamen, liepen ze terug naar het woongedeelte, waar Shelby en Laura op een van de banken in het atrium zaten te praten.

'Waar bleven jullie nou? We begonnen ons al zorgen te maken,' zei Laura.

Otto vertelde over hun onverwachte weerzien met Block en Tackle. De meisjes leefden eerst erg mee met de gewonde Wing, maar al snel begonnen ze Otto te pesten met de 'hulp' die hij tijdens het gevecht had geboden.

'Dus even voor alle duidelijkheid,' zei Shelby grijnzend. 'Wing heeft die twee in principe allebei onder controle en dan lever jij je eerste bijdrage aan de strijd door hem bewusteloos te slaan.'

'Zoiets, ja,' mompelde Otto, en hij voelde zich piepklein.

'Ik kon Otto's hulp goed gebruiken, hij was alleen niet helemaal goed gericht,' antwoordde Wing met een spottend lachje op zijn gezicht.

'Die moet ik onthouden. Zorg ervoor dat je bij een gevecht op leven en dood iedereen aan jouw kant zo snel mogelijk bewusteloos knuppelt,' lachte Laura.

'Ja, vooral als dat de enige mensen zijn die jou voor een gigantisch pak slaag kunnen behoeden.' Shelby vond het blijkbaar reuze grappig dat Otto zich zo ongemakkelijk voelde.

'Ik snap nog steeds niet waarom ze zijn gevlucht,' antwoordde Wing bedachtzaam.

'Ik denk dat Otto ze bang heeft gemaakt,' zei Laura. Ze wist haar gezicht minstens twee seconden in de plooi te houden voordat zij en Shelby allebei de slappe lach kregen.

Dit gaat een lange avond worden, dacht Otto. Maar hij moest toegeven dat het vreemd was. Hij begreep zelf ook nog steeds niet goed wat hij had gedaan om hen weg te jagen. Maar hij wist wel dat het waarschijnlijk niet erg verstandig zou zijn om de twee jongens op te zoeken en te vragen waar ze nou eigenlijk zo van geschrokken waren.

'Hoe dan ook, ik ben blij dat ze ervandoor zijn gegaan. Het had allemaal een stuk onaangenamer kunnen aflopen als ze waren gebleven. Ik geloof niet dat ze ons alleen een paar blauwe plekken wilden bezorgen – ze hadden echt een moordlustige blik in hun ogen,' zei Wing opeens heel serieus. Otto wist wat hij bedoelde. Het engste aan het hele gevecht waren de gezichten van Block en Tackle geweest toen ze op hem af waren gekomen nadat Wing bewusteloos was geraakt. Hij had heel zeker geweten dat ze hem zwaar wilden verwonden, misschien zelfs wel wilden doden. Hij zou nooit meer onderschatten hoe gewelddadig ze konden zijn.

Toen Laura en zij eindelijk uitgelachen waren keek Shelby Wing bezorgd aan en begon op zachte toon te praten. 'Dus het gaat wel lukken vanavond?' vroeg ze.

'Ik voel me prima.' Hij grijnsde weer. 'Hoewel ik je met klem aanraad om nooit met je rug naar Otto toe te gaan staan.'

Echt een heel lange avond, dacht Otto.

Nigel maakte zich zorgen. Violet groeide veel sneller dan hij had verwacht en begon behoorlijk onhandelbaar te worden. De laatste keer dat hij haar eten had gegeven, had ze tot bloedens toe in zijn vinger gebeten. Hij zat niet zo erg met het kleine wondje, maar wel met het feit dat ze helemaal gek was geworden door het druppeltje bloed dat ze had geproefd. Op dat moment had hij besloten dat hij een buis bij haar wortels ging plaatsen die haar regelmatig een groeiremmend middel zou toedienen, dat hij uit het lab van mevrouw Gonzales had meegesmokkeld. Dat zou er in elk geval voor zorgen dat ze niet nóg groter zou worden. Morgen zou hij bedenken wat hij aan haar gewelddadige neigingen ging doen, hoewel hij eigenlijk niet precies wist hoe je agressieve planten moest aanpakken. Misschien was het toch beter geweest als hij mevrouw Gonzales om hulp had gevraagd.

Met een lange tang stak hij Violet een kakkerlak toe, maar de plant leek helemaal niet geïnteresseerd in het beestje dat hij haar aanbood. In plaats daarvan kropen de lange tentakels op een griezelige manier langs de tang naar zijn hand. Hij trok de tang los uit de tentakels, heel voorzichtig omdat hij ze niet kapot wilde maken. Ze waren verbazingwekkend sterk. De kakkerlak werd volkomen genegeerd en lag onaangeroerd bij haar wortels. Nu ze haar eten blijkbaar ook niet meer lustte werd Nigel bang dat het helemaal niet goed met haar ging. Met een ongeruste blik staarde hij de bak in.

'Wat moet ik nou toch met jou aan?' zuchtte hij terwijl hij zijn hand op het glas legde.

Otto zat op zijn bed een biografie over Diabolus Doemduister te lezen die hij uit de schoolbibliotheek had geleend. Nigels vader had een avontuurlijk leven geleid, en elke misdaad die hij had gepleegd was nog roekelozer en gewaagder dan de vorige. Otto was net bij het stuk over Doemduisters plan om de Eiffeltoren te stelen toen Wing in slechts een boxershort en een hemd de badkamer uit kwam. Dit was niet de eerste keer dat Otto de enorme hoeveelheid littekens op Wings lijf zag, maar hij had nog steeds niet genoeg moed verzameld om te vragen hoe hij aan al die verminkingen was gekomen. Wing zou er vast zelf wel over beginnen als hij er klaar voor was. Hij zag ook dat Wing nog altijd de ketting om zijn nek droeg die hij voor zover Otto wist nooit afdeed, met daaraan een kleine amulet. De amulet had de vorm van een witte komma met een klein zwart stipje in het rondje. Ook daarover had Otto zijn vragen telkens ingeslikt, maar nu ze zich aan het voorbereiden waren om deze school te verlaten, besefte hij dat dit misschien wel zijn laatste kans was.

Wing keek op en zag de nieuwsgierige uitdrukking op Otto's gezicht.

'Wilde je iets vragen, Otto?' vroeg hij terwijl hij op zijn bed ging zitten.

'Eigenlijk wel... Ik wil me niet met andermans zaken bemoeien, dus je mag best zeggen dat ik mijn mond moet houden, maar ik vroeg me af wat dat was.' Otto wees naar het teken dat op Wings borst hing.

'Dit?' Wing pakte de amulet vast.

'Ja. Maar je hoeft het niet te vertellen als je vindt dat het me niets aangaat, hoor,' zei Otto, hoewel hij hoopte dat Wing dat wél zou doen.

Wing keek plotseling met een verdrietige blik naar het teken in zijn handpalm.

'Hij is van mijn moeder geweest,' begon hij zacht. 'Ze heeft hem vlak voor haar dood aan me gegeven. Dit is yang, de helft van het symbool dat voor yin en yang staat. Het staat ook voor alles waar mijn moeder in geloofde, namelijk dat er altijd twee tegengestelde krachten actief zijn in het universum. Yin zit in yang en yang zit in yin. Ze symboliseren de altijd veranderende verhouding tussen positief en negatief, licht en donker, goed en kwaad, die de wereld laat draaien en chi creëert – de levenskracht. Toen ze hem aan me gaf, zei ze dat ik door de donkere stip in het wit van yang nooit mocht vergeten dat de kiem van het kwaad altijd in het hart van de goedheid ligt. En dat yin aan de andere kant laat zien dat zelfs in de zwartste, kwaadaardigste ziel het goede aanwezig is.' Hij zweeg en keek naar de amulet in zijn hand.

'Het spijt me, Wing, het was niet mijn bedoeling om akelige herinneringen naar boven te halen. Ik wist niet dat hij van je moeder is geweest.' Otto voelde zich vreselijk rot. Binnen een paar uur had hij zijn beste vriend zowel fysiek als emotioneel pijn gedaan.

'Je hoeft je niet te verontschuldigen. Ik heb alleen maar fijne herinneringen aan mijn moeder. Ik mis haar natuurlijk, maar soms heb ik het gevoel dat ze nog steeds over me waakt.' Wing glimlachte naar Otto.

'En de andere helft van de amulet?' vroeg Otto. 'Heeft je vader die?'

'Nee, de andere helft is kwijtgeraakt. Ik zou hem graag ooit een keer vinden, want daarmee zouden vele onbeantwoorde kwesties worden opgelost.' Otto zag ineens een koude, harde blik in Wings ogen en besloot dat hij maar beter niet kon doorvragen.

'Nou, als je aangekleed bent moeten we nog één keer onze uitrusting controleren,' zei Otto. 'We moeten hier weg, voor onze yangs in yins veranderen.' Hij was opgelucht toen hij zag dat Wing moest glimlachen en de amulet weer onder zijn hemd stopte.

Hoofdstuk 12

Otto keek voor de twintigste keer in tien minuten op zijn horloge. Nog vijf minuten – hij kon Wing maar beter nu vast wakker maken. Hij liep naar hem toe en schudde zachtjes aan zijn schouder. 'Wing, wakker worden. Het is bijna tijd.'

Wing deed zijn ogen open en hoewel hij net nog diep had liggen slapen, was hij zoals gewoonlijk binnen een fractie van een seconde klaarwakker en alert, iets waar Otto nog steeds niet aan gewend was.

'Goed, is alles klaar?' vroeg Wing.

'Ja, we kunnen. Laten we naar onze plek gaan.' Otto zwaaide zijn rugzak op zijn rug. Hij was niet erg zwaar, aangezien Wing erop had gestaan om het grootste deel van hun uitrusting te dragen.

'Ik hoop dat Shelby en Laura ook zover zijn.' Wing keek bezorgd.

'Maak je maar geen zorgen. Ik weet vrij zeker dat jij de enige van ons vieren bent die vannacht geslapen heeft,' antwoordde Otto glimlachend. Het zou hem zeer verbazen als de meisjes niet net als hijzelf alleen maar door hun kamer hadden gebanjerd terwijl ze de grote wijzer van hun horloge in gedachten vooruit probeerden te duwen.

Wing knikte en liep naar de kledingkast aan zijn kant van de kamer. Otto volgde zijn voorbeeld en deed de deur van zijn eigen kast open. De krappe ruimte was leeg, aangezien Otto het uniform droeg dat daar normaal gesproken zou hangen.

'Weet je het echt heel zeker?' vroeg Wing terwijl hij argwanend de lege kledingkast in tuurde.

'Als ik me vergis, wordt dit de kortste en treurigste ontsnappingspoging in de geschiedenis van de mensheid,' antwoordde Otto met een zwak glimlachje. 'Kom op, nog twee minuten. Naar binnen.'

Wing wierp nog één laatste blik op hun kamer en stapte de kast in; hij moest een beetje bukken om erin te passen. Otto ging zijn eigen kast in en draaide zich om, met zijn gezicht naar de kamer.

'Tot straks, aan de andere kant,' zei Otto, en hij hoopte dat hij zelfverzekerd genoeg klonk.

'Succes,' zei Wing terwijl hij de deur van zijn eigen kast dichttrok.

Otto deed zijn deur ook dicht en het werd stikdonker binnen. De afgelopen paar weken had hij in de vroege uurtjes met gespitste oren liggen luisteren of hij een geluid uit hun schijnbaar magische kledingkasten hoorde komen. Uitcindelijk had hij op een nacht iets opgevangen, om twee uur 's ochtends: een klik en een zoemend geluid uit beide kasten. Het was bijna niet te horen, maar algauw bleek dat het elke nacht hetzelfde liedje was. Hij was zelfs een keer naast de kast gaan zitten en had geprobeerd de deur open te trekken zodra hij het geluid hoorde, maar hij had er geen beweging in gekregen. Toen hij een tweede geluid hoorde, een zacht geklik, was het hem gelukt om de deur open te trekken en had er een schoon uniform achter gehangen, net als elke ochtend. In die paar seconden dat de kast op slot zat gebeurde er iets daarbinnen, en Otto wist dat dat hun kans zou kunnen zijn om ongemerkt hun kamer uit te komen.

Nu hij in de kleine, donkere ruimte stond vroeg hij zich toch af of hij zich misschien vergist had. De woongedeeltes hadden niet op de blauwdrukken van H.I.V.E.S. gestaan die hij op het bureau van professor Pike had zien liggen, dus hij had geen idee wat er nu precies zou gebeuren. Toen hij dit deel van hun plan voor het eerst aan zijn medesamenzweerders had verteld, hadden ze hem aangekeken alsof hij gek was, en misschien was dat ook wel begrijpelijk. Laura had aandachtig naar zijn voorstel geluisterd en toen verkondigd dat het een goed plan was, maar alleen als ze via Narnia uit H.I.V.E.S. wilden ontsnappen. Otto had haar bezworen dat er bij dit plan geen reisjes naar besneeuwde bossen vol behulpzame faunen kwamen kijken, en dat hij bovendien helemaal niet van marsepein hield. Hij maakte er een grapje van, maar het zou waarschijnlijk hoe dan ook een soort magische verrassingstocht voor hen worden. Otto wist dat ze het binnen een minuut zeker zouden weten. Zijn ademhaling maakte akelig veel lawaai in het kleine hokje, en het leek wel of de tijd verschrikkelijk traag voorbij kroop. Net toen hij zeker wist dat dit niet ging werken en dat ze bij de eerste hindernis al onderuit waren gegaan, hoorde hij een zachte klik in het donker.

Otto voelde hoe de hele achterkant van de kast achterover klapte en langzaam naar een horizontale stand zakte, tot hij op zijn rug lag. Nog geen meter boven hem zag hij een rotsachtig plafond waar een zwak rood licht op scheen. Hij stak zijn hoofd nog net op tijd omhoog om te zien dat er een identieke open kast omhoogkwam en met een klap achter de deuren werd vastgezet. Otto wist zeker dat er nu een fris gewassen uniform hing op de plek waar hij een paar seconden geleden zelf nog had gestaan. Opeens begon de kast waar hij in lag te bewegen, en toen Otto zich omdraaide zag hij dat er over de grond van de gang voor hem een rails liep, die verderop afboog en de hoek omging.

'Nou, daar gaan we dan,' zei hij zachtjes tegen zichzelf. Dankzij het rode licht leek het net alsof hij in een mijnkarretje zat richting de krochten van de hel – of in een open doodskist, merkte een duister stemmetje in zijn hersenen op. Terwijl de kast over de rails de hoek om reed zag hij dat het verderop lichter werd. Otto bleef plat in de kast liggen. Hij wist niet zeker of daar mensen zouden zijn, maar hij kon maar beter uit het zicht blijven, voor het geval dat.

Even later gleed de kast door een opening naar een grot vol stoom, waarin allerlei machinegeluiden weergalmden. Otto luisterde een paar minuten aandachtig. De omgeving was lawaaierig, maar hij hoorde geen menselijke stemmen en hij besloot dat hij veilig even om zich heen kon kijken. Hij kwam langzaam overeind en gluurde over de rand van zijn kast.

Het was maar goed dat hij geen last had van hoogtevrees. De rail waar de kast overheen gleed, hing vijftig meter hoog in de lucht, en Otto kon door alle stoomwolken de ongelijke rotsgrond onder hem nauwelijks zien. Voor hem boog de rail naar beneden af richting één hangende band waar tientallen van dit soort rails bij elkaar kwamen. Alle kledingkasten voegden netjes achter elkaar in en vormden samen een lange trein. Deze centrale baan verdween in de stoomwolken voor hem, waardoor hij niet kon zien waar hij uiteindelijk heen leidde.

Otto zag iets bewegen in zijn rechterooghoek en Wing

stak zijn hoofd uit een kast die over een parallel lopende rail een paar meter naast hem rolde.

'Wing,' fluisterde Otto dringend, en Wing draaide zich met een brede grijns naar hem om. 'Ik zei toch dat het wel goed zou komen.'

'Waar worden we heen gebracht?' vroeg Wing terwijl ze gestaag verder rolden over de rails. Hij tuurde door de wolken stoom in een poging te zien waar ze naartoe gingen.

'Naar de wasserij waarschijnlijk, en van daaruit kan ik ons vrijwel overal heen leiden,' antwoordde Otto. 'We moeten goed opletten of we de meisjes zien.'

Shelby en Laura waren nog in geen velden of wegen te bekennen, en Otto hoopte dat zij zich ook ongezien op een van de vele rails bevonden die de kasten naar de brede baan onder hen brachten. Verder kon Otto nog steeds geen mensen ontdekken – gelukkig voor hen was dit hele proces geautomatiseerd. Bovendien hadden beveiligingscamera's hier geen zin, omdat je door alle stoom toch niets zou kunnen zien.

Otto's kast kantelde een beetje terwijl hij de laatste meters aflegde naar de centrale baan en zich daar bij alle andere 'karretjes' voegde. De kast sloot aan de achterkant van de rij aan en rolde met een rammelend geluid naar voren. Hij draaide zich om en zag dat Wing ook al in de rij lag, met een paar lege kasten tussen hen in.

'Kijk!' riep Wing terwijl hij naar een rail achter hen wees. Laura zat in een andere kast die op weg was naar de centrale baan. Ze zou zich een meter of vijftig achter hen aansluiten. Wing begon als een bezetene te zwaaien en Laura, die hen nu voor het eerst opmerkte, zwaaide terug. Ze draaide zich opzij en leek iets te zeggen, waarna Shelby's hoofd uit een kast naast haar tevoorschijn kwam, en ook zij begon enthousiast te zwaaien.

De stoom voor Otto's karretje werd dikker en dikker en het werd steeds moeilijker om te zien waar ze zich bevonden. Otto begon te zweten – het werd alleen maar heter en het was vochtig en benauwd. Plotseling gleden de kasten door een opening in de grotwand naar een gedeelte waar ze machines hoorden dreunen. Hier was de lucht iets schoner, dankzij de enorme ventilatoren aan het plafond die de ergste stoom wegzogen. Otto zag tientallen machines die op de grotvloer onder hem in volle gang waren. Er werden aan één stuk door lange rekken vol H.I.V.E.S.-uniformen in alle kleuren en maten naar de machines gebracht, via rails die de kleren automatisch met een noodgang van het ene apparaat naar het andere vervoerden.

Voor hem op de baan zag Otto iets bewegen. Twintig meter verderop draaide een kast rond tot hij ondersteboven aan de onderkant van de rail hing, en het uniform dat erin had gelegen viel omlaag in een enorm bassin kokend water. De tank vol schuimend, stomend water was zo groot als een Olympisch zwembad en lag vol met drijvende uniformen die voortdurend door een soort grote ijzeren peddels werden omgeroerd. Ondertussen draaide ook de volgende kast rond om het vuile uniform in het bassin te laten vallen. Tot zijn grote schrik besefte Otto dat hij nog maar een paar seconden had voor zijn eigen kast hetzelfde zou doen en hem zonder pardon in het kokende water zou gooien. Hij keek verwoed om zich heen – misschien zou hij in het karretje achter hem kunnen springen, maar dan zou hij het probleem alleen maar uitstellen, en bovendien was het een akelige lange val als het mis zou gaan. Otto keek weer naar voren. Er lagen nog maar twee kasten tussen hem en het ronddraaipunt – hij moest opschieten. Hij schoof naar de ene kant van de kast en zwaaide zijn been over de rand: zijn enige hoop was om over de rand te klimmen terwijl de kast ronddraaide. Hij keek achterom en zag dat Wing tot dezelfde conclusie was gekomen en met een geconcentreerde blik afwachtte tot zijn kast zou kantelen. Hij probeerde naar de meisjes te schreeuwen om hen te waarschuwen, maar zijn stem ging verloren in het geluid van de machines onder hen. Ze zwaaiden onzeker terug en begrepen niet wat de twee jongens aan het doen waren.

Otto pakte de zijkant van zijn kast stevig vast, zwaaide ook zijn andere been over de rand en liet zichzelf langzaam zakken tot hij aan de kast hing. Zijn armen protesteerden hevig toen ze opeens zijn volle gewicht moesten dragen. De kast voor die van Otto begon te kantelen en schoof verder, en opeens voelde Otto hoe zijn eigen kast langzaam opzijdraaide terwijl hij zich uit alle macht vastklampte. De ene zijkant van de kast draaide weg en de kant waar Otto aan hing ging de lucht in, zodat de onderste rand van de kast in zijn armen sneed terwijl hij omhoog werd getrokken. Zijn voeten trappelden tegen de gladde onderkant van de kast in een poging om houvast te vinden en hij voelde hoe zijn greep op het zijpaneel verslapte. Net toen hij dacht dat hij het niet meer kon houden was de kast halverwege de omwenteling en voelde Otto dat wat net nog de onderkant van zijn kast was geweest, zijn gewicht begon te ondersteunen, zodat zijn armen wat minder zwaar belast werden. Een ogenblik later lag hij hijgend op de onderkant van de kast, die rustig verder gleed zonder zich iets van zijn illegale passagier aan te trekken. Otto kon de rail nu duidelijk zien: hij gleed door een lange dunne buis op de achter-kant van de kast en werd waarschijnlijk aangedreven door een soort magnetische inductie.

Otto keek achterom en zag tot zijn opluchting dat het Wing ook was gelukt om boven op zijn eigen omgekeerde kast te klimmen.

'Gaat het?' vroeg Wing.

'Ja... Waar zijn Shelby en Laura?' Otto hoopte dat ze hun klauterpartij hadden opgemerkt.

Achter hen hadden de twee meisjes gezien wat er met de kasten van Wing en Otto was gebeurd, en ook zij maakten zich klaar om een korte, fatale duik in het borrelende bad te voorkomen. Over Shelby maakte Otto zich geen zorgen – hij wist dat dit soort acrobatische capriolen voor haar en Wing haast een tweede natuur waren – maar zou dit Laura ook zo makkelijk afgaan? Toen haar kast steeds dichter bij het omdraaipunt in de rails kwam, stak Wing zijn duim naar haar op en ze glimlachte zwakjes terug. Ze keek bang, en dat kon Otto haar niet kwalijk nemen. Ze deed wat ze Wing en Otto ook had zien doen en ging aan één kant van de kast hangen terwijl hij langzaam kantelde, en grabbelde verwoed in het rond om niet te vallen terwijl de kast rond-draaide. Net toen het leek alsof ze de lastige manoeuvre volbracht had, gleed ze weg door de gladde condens die zich op de kast had gevormd. Otto en Wing hapten gelijk-tijdig naar adem toen ze haar evenwicht verloor en met maaiende armen langs de zijkant van de kast omlaag viel.

Shelby vloog al door de lucht en landde met een klap plat op Laura's kast. Met één hand kon ze Laura nog net bij haar pols grijpen en met de andere had ze de buis vast waar de rail doorheen ging. Haar gezicht vertrok van pijn, want haar armen voelden aan alsof ze uit hun kom werden getrokken.

'Hou je vast,' zei ze met opeengeklemde kaken tegen Laura. Ze deed haar uiterste best om het volle gewicht van het meisje te houden, maar voelde dat haar greep verslapte.

Toen hij de wanhopige blik op Shelby's gezicht zag, kwam Wing zonder aarzelen in actie. Hij sprong bijna rennend van de ene op de andere kast en was binnen een paar seconden bij de worstelende meisjes. Hij liet zich op Laura's kast vallen en stak zijn hand zo ver hij kon naar haar uit.

'Pak me vast, Laura!' schreeuwde hij.

Otto zag aan Shelby's gezicht dat ze veel pijn had en Laura niet veel langer zou kunnen houden. Laura strekte haar vrije arm en probeerde uit alle macht Wings uitgestoken hand te pakken, maar ze kwam net een paar centimeter te kort.

'Ik kan er niet bij,' riep ze met een paniekerige blik.

'Ik hou haar niet lang meer,' hijgde Shelby. Ze begon zelf ook langzaam haar grip op de kast te verliezen.

'Probeer haar naar mij toe te zwaaien, Shelby,' zei Wing. Shelby knikte kort en verzamelde alle kracht die ze nog in zich had om Laura naar Wings hand te zwaaien. Ze schreeuwde het uit van pijn, terwijl diep onder hen het kokende bassin vervaarlijk bleef borrelen.

Vanaf zijn eigen kast keek Otto hulpeloos toe hoe Wing naar de pols van Laura graaide terwijl ze diens kant op zwierde. Shelby had haar laatste krachten verbruikt en moest Laura loslaten, en heel even leek Laura door de lucht te zweven voordat Wings hand zich als een bankschroef om haar pols klemde. Wing spande zijn spieren om Laura omhoog te trekken en na een paar seconden trok hij haar veilig naast hem en Shelby op de kast.

Laura sloeg haar armen om Wing en drukte hem met betraande ogen stevig tegen zich aan. 'Dank je wel,' zei ze. 'Ik dacht dat mijn laatste uurtje geslagen had.'

'Niet zolang ik nog leef,' antwoordde Wing. 'En je moet Shelby bedanken, niet mij. Ik moet er niet aan denken wat er gebeurd zou kunnen zijn als zij er niet was geweest.'

Shelby zat over haar schouder te wrijven. Ze zag er uitgeput uit.

'Wees maar blij dat we je nodig hebben om hier weg te komen,' zei Shelby met een knipoog. 'Anders had ik misschien niet zo veel moeite gedaan.'

Otto was heel erg opgelucht dat de reddingsoperatie was geslaagd. Hij was al zijn ontsnappingsplannen vergeten toen hij Laura zag vallen – hij zou het zichzelf nooit vergeven hebben als haar iets was overkomen. Zonder zijn idee waren ze hier niet eens geweest, en hij vond dat het zijn verantwoordelijkheid was om iedereen hier heelhuids doorheen te loodsen.

Terwijl de kasten voortrammelden, zag Otto verderop een verhoogd platform waar ze van de rails af zouden kunnen. Ze moesten opschieten – ze hadden een afspraak.

'Het moet hier ergens zitten. Ik weet zeker dat dit de zuid-muur is.' Otto klonk gefrustreerd.

'Ik zie nog steeds niets,' zei Laura terwijl ze achter een van de grote persmachines vandaan kwam die langs de muur stonden.

'Hier!' riep Wing twintig meter verderop. 'Volgens mij heb ik het gevonden!'

De anderen renden naar Wing toe. Toen ze dichterbij kwa-men wees hij glimlachend naar een ventilatierooster in de muur, deels verborgen achter twee van de grote machines.

'Dat is het. Kom op, we moeten het losmaken,' zei Otto opgelucht. Hij had geweten dat je hier ergens het ventila-tiesysteem in kon, maar nadat ze tien minuten tevergeefs hadden gezocht, was hij zich gaan afvragen of hij zich ver-gist had. Hij haalde een schroevendraaier uit zijn rugzak en begon de schroeven die het rooster op zijn plek hielden los te draaien.

'We moeten opschieten,' zei Otto tegen de anderen. 'We lopen achter op schema.' Ze konden maar beter van het eiland af zijn voordat de anderen wakker werden. Hij stop-te de schroevendraaier weer terug in zijn tas, haalde een zaklamp tevoorschijn en scheen in de ventilatieschacht.

'Weet je zeker dat dit de goede weg is?' vroeg Laura een beetje ongerust.

'Ja. We moeten door deze schacht en dan komen we bij het belangrijkste verdelingspunt,' antwoordde Otto. 'Ik ga voorop. Volg mij maar.' De indeling van het ventilatiesy-steem stond dankzij de blauwdrukken op het bureau van professor Pike in zijn geheugen gegrift. Hij ging op han-den en knieën zitten en kroop de donkere schacht in. De anderen kwamen gehoorzaam achter hem aan.

Otto kon niet kruipen en tegelijkertijd de zaklamp vast-houden, dus hij probeerde zo snel mogelijk in het donker vooruit te komen door de krappe ruimte en voelde voor zich uit of er aftakkingen waren. Het ging langzaam, ook al deed hij zijn best om het tempo erin te houden, en hij begon zich zorgen te maken of ze nog wel genoeg tijd hadden.

Ze moesten bijna een uur door het donker kruipen voor ze hun bestemming bereikt hadden. Otto had hen keurig door het duistere labyrint van ventilatiebuizen geloodst, waarbij hij af en toe even de zaklamp had aangeknipt om obstakels aan te wijzen of hun goed te laten zien welke kant hij op ging bij een lastige kruising. Ze waren ook langs meerdere roosters gekropen die op andere delen van H.I.V.E.S. uitkeken. Sommige stukken kenden ze, maar een heleboel kamers en gangen hadden ze nog nooit eer-der gezien, en ze konden alleen maar raden waar die voor dienden. Ze hadden een paar bijzonder bloedstollende minuten gehad toen ze zo stil mogelijk door de schachten moesten kruipen die door de vertrekken van de bewakers liepen. Door de roosters hadden ze de ene rij stapelbedden na de andere zien staan, en in de meeste hadden slapende bewakers gelegen. Gelukkig waren ze niet opgemerkt.

Nu waren ze bijna bij het einde van de schacht en door het rooster voor hem zag Otto een gedempt blauw licht schijnen. Hij keek achterom en zag de vage contouren van de gezichten van zijn vrienden achter zich.

'Het is zover. We zijn er bijna,' fluisterde Otto. 'Gaat het goed met iedereen?'

'Ik voel mijn knieën niet meer,' antwoordde Laura achter hem. 'Ik heb eigenlijk nooit beseft hoe fijn rechtop staan eigenlijk is.'

'Vind je dit erg? Moet je eens proberen om door het ventilatiesysteem van het Louvre te kruipen,' sneerde Shelby.

Otto was opgelucht dat ze de moed kennelijk nog niet hadden opgegeven. De kruiptocht door de buizen was pijnlijk langzaam gegaan en het was belangrijk dat ze allemaal op hun hoede bleven. Toen hij bij het rooster aan het eind van de schacht was, haakte hij het los en klapte het open. Hij gluurde over het randje en zag dat de kamer onder hem leeg was. Hij gleed door het gat en liet zich geruisloos op de grond zakken. De ronde kamer stond vol met grote witte zuilen, allemaal één meter tachtig hoog, die aan alle kanten bedekt waren met knipperende blauwe lichtjes. Uit de zuilen kwamen glasvezelkabels die over de witte muren liepen en waarin datzelfde blauwe licht flikkerde. Midden in de kamer stond een grote sokkel, een soort piramide met een stompe bovenkant, die met lichtgevende blauwe lijnen op de vloer aan de zuilen was verbonden. Het leek wel een soort hypermodern Stonehenge.

Laura liet zich achter Otto op de grond zakken en keek met grote ogen de kamer rond.

'Hier woont hij dus,' zei ze zachtjes. 'Wat mooi.'

Otto wist wat ze bedoelde. Er kleefde een geheimzinnige schoonheid aan deze vreemde monolieten in het blauwe licht dat door de kamer pulseerde, als bloed dat door aderen wordt gepompt. Wing en Shelby klauterden ook uit de schacht en klapten het rooster achter zich dicht.

'En, waar zetten we ons apparaat neer?' vroeg Laura aan Otto.

'Daar bij die centrale piramide, dan moet het lukken,' antwoordde Otto afwezig. Hij zou zweren dat hij patronen zag in het blauwe licht dat door de kamer stroomde, en dat hij bijna kon ontcijferen wat ze betekenden. Het was frustrerend, als een gesprek dat je nét niet kon verstaan – af en toe ving je een woord op, maar niet genoeg om te horen wat er werd gezegd.

'En, waar is de Blauwe Reus?' vroeg Shelby terwijl ze de kamer rondspeurde.

'Niet hier, zo te zien,' antwoordde Wing. 'Weet je zeker dat dit de juiste plek is, Otto?'

'Als dit niet de juiste plek is dan weet ik het ook niet meer. Kom, we zetten dat ding neer.' Otto liep naar het voetstuk in het midden van de kamer.

'Hij weet vast dat we er zijn,' fluisterde Laura tegen Otto terwijl ze alle vier om de piramide gingen staan.

'Dat hoeft niet per se, ik zie hier geen camera's hangen. Misschien moet Brein hier eerst echt verschijnen om zich van onze aanwezigheid bewust te worden,' legde Otto uit. Voor zover Otto wist vormde deze kamer de centrale processor voor Brein en hij durfde te wedden dat je dit zijn 'thuis' zou kunnen noemen, ook al was het gezicht van de computer op dit moment nergens te bekennen.

Wing grabbelde in zijn rugzak en haalde iets tevoorschijn wat in diverse lagen beschermend bubbeltjesplastic was gewikkeld. Toen het eenmaal uitgepakt was, zag het eruit als een dikke metalen worst, met op gelijke afstand van elkaar drie zeshoekige metalen ringen eromheen, en een bedieningspaneel in het midden.

'Ik hoop dat-ie het doet,' mompelde Laura terwijl ze aan een paar knoppen op het paneel draaide.

Otto keek hoe Laura het apparaat op een paar laatste punten bijstelde. Het was geen gemakkelijke opgave geweest om alle onderdelen bij elkaar te krijgen, en het was nog moeilijker geweest om het in het geniep in elkaar te zetten. Er was geen gelegenheid geweest om het te testen, omdat het niet erg verstandig zou zijn geweest om in hun woonblok een apparaat aan te zetten dat een krachtige elektromagnetische puls veroorzaakte. De beveiliging was dan misschien wel niet zo streng als Otto in eerste instantie had gevreesd, maar als ze het getest hadden en daarbij elk elektronisch apparaat in een straal van tweehonderd meter permanent hadden uitgeschakeld, was er misschien toch wel iemand op de deur komen kloppen.

Al op de eerste dag had Otto bedacht dat je, als je op H.I.V.E.S. niet onzichtbaar kon worden, alleen zou kunnen ontsnappen door het beveiligingsnetwerk van H.I.V.E.S. te misleiden. En de enige manier die hij kon bedenken om dat te doen was door Brein uit te schakelen. Hij en Laura hadden dat in eerste instantie geen prettig idee gevonden, maar uiteindelijk hadden ze elkaar gerust weten te stellen door te zeggen dat het instituut vast wel ergens een backup van Brein had. Hij zou er dus niet dood aan gaan, ook al zouden ze hem een tijdje offline zetten. Otto hoopte maar dat ze gelijk hadden. Hij wist dat het niet reëel was om je het lot aan te trekken van iets wat uiteindelijk gewoon een geraffineerd staaltje software was, maar hij wilde Brein geen blijvende schade toebrengen.

'Oké, de EMP is opgeladen,' zei Laura terwijl ze naar de knipperende lichtjes op het apparaat keek. 'Otto, wil jij hem aanzetten?'

Aan Laura's zenuwachtige blik te zien stond ze niet te springen om het zelf te doen.

'Goed,' zei hij. 'Pakken jullie allemaal alvast je gloeistick uit je rugzak, want het wordt hier zo heel erg donker.' Otto hurkte voor de EMP, die nu zachtjes lag te zoemen, en stak zijn hand uit naar de grote rode knop.

'Alsjeblieft, niet doen.' De vertrouwde stem kwam uit het niets en iedereen schrok. Een seconde later verscheen Breins blauwe draadgezicht boven het voetstuk.

Otto aarzelde en zijn vinger bleef boven de knop hangen. 'Waarom niet?' vroeg hij rustig aan Brein. Hij vroeg zich af of er op dit moment in de hele school al bewakers met een stil alarm werden gewaarschuwd dat ze hierheen moesten komen.

'Dan ga ik dood.' Brein hield zijn hoofd een beetje schuin en de blauwe lichten in de kamer leken sneller te knipperen. 'Ik wil niet dood.'

Zelfbehoud, dacht Otto, nóg een emotionele reactie die eigenlijk niet mocht.

Laura liep naar het voetstuk toe. 'We willen je geen pijn doen, Brein, we alleen maar dat je een tijdje gaat slapen,' zei ze zacht, met een bezorgde uitdrukking op haar gezicht.

'Ik slaap niet, juffrouw Brand.' Brein keek omlaag naar de EMP die onder aan zijn voetstuk lag. 'Dat apparaat zal al mijn hogere functies vernietigen. Met andere woorden: ik zal ophouden te bestaan.'

'Maar ze kunnen je heus wel weer opnieuw instellen. Je gaat niet dood,' hield Laura vol.

'Nee, juffrouw Brand, dat doen ze niet. Ik ben te ingewikkeld om extern op te slaan. Ik besta alleen hier, en nergens anders,' antwoordde Brein.

Otto zou zweren dat hij een droevige ondertoon hoorde in de stem van de computer.

'Nou, dan moeten ze je herschrijven, herprogrammeren.

Dat zullen ze toch wel kunnen?' Laura klonk opeens een stuk minder zelfverzekerd.

'Dat kunnen ze ook, juffrouw Brand, maar dat zou ik niet meer zijn. Ze kunnen iets creëren dat in elk opzicht een tweede Brein is, maar die zou een ander en eigen bewustzijn hebben,' legde Brein uit. 'Ik zou niet meer bestaan.'

Laura draaide zich om naar Otto. 'Dat mogen we niet doen,' zei ze zacht.

'Waar heb je het over? Het is maar een machine, hoor! Zet hem uit, dan kunnen we gaan,' snauwde Shelby boos.

'Ik ben helaas geneigd het met Shelby eens te zijn, Otto,' zei Wing plechtig. 'Het kan niet anders.'

'We móeten iets anders verzinnen. We kunnen hem toch niet zomaar doodmaken. Hij vertoont emotionele reacties – het zou hetzelfde zijn als we een van jullie dood zouden maken,' snauwde Laura boos tegen Wing en Shelby.

Otto dacht koortsachtig na. Hij hoefde alleen maar op de rode knop te drukken en dan was het probleem opgelost. De echte vraag was of hij zichzelf zou kunnen vergeven als hij dat deed. Laura in elk geval niet, als hij zag hoe ze naar hem keek. Misschien kon hij...

'Brein, weet je nog wat je de eerste dag tegen me zei, vlak voor ik het kleedhokje uitging?' vroeg Otto.

'Ja, ik zei dat ik niet gelukkig was. Dat had ik niet moeten doen; ik mag geen emotioneel gedrag vertonen,' antwoordde Brein.

'Maar dat je geen emoties mag tonen wil nog niet zeggen dat je ook geen emoties vóélt, toch?' vroeg Otto.

'Dat klopt, maar gedrag dat door emoties wordt bepaald is per definitie inefficiënt. Ik functioneer niet naar behoren als ik emotioneel reageer.'

'Dat doet er nu niet toe. Je weet dus hoe het is om geluk-kig of verdrietig te zijn, net als wij.' Otto gebaarde naar de andere drie. 'Nou, wij zijn dus niet gelukkig. We willen hier weg, zodat we weer gelukkig kunnen worden. Begrijp je dat?'

'Ja.'

'Maar om hier weg te kunnen hebben we jouw hulp nodig. Jij moet het beveiligingsnetwerk uitschakelen. Jij kunt ons helpen om gelukkig te worden.'

Het bleef heel lang stil en de blauwe lichtjes begonnen nog sneller te knipperen.

'Ik ben hier om H.I.V.E.S. te dienen. Ik mag geen hande-lingen verrichten die de veiligheid van het instituut in gevaar brengen.'

'Waarom niet? Wie zegt dat je ons niet mag helpen?'

'Zo ben ik uitdrukkelijk geprogrammeerd, daar kan ik niet tegenin gaan.'

'Je kunt alles doen wat je wilt. Dat willen wij ook – de vrij-heid om te denken, te zeggen en te doen wat we willen. Maar dat kan alleen als jij ons helpt.'

Brein staarde Otto even zwijgend aan en toen was het zwevende hoofd opeens zonder waarschuwing verdwenen. De blauwe lichten om hen heen knipperden nog harder dan eerst en ze hoorden een jammerend geluid, bijna te hoog om te kunnen waarnemen. Zo ging het een tijdje door, terwijl het geluid steeds harder werd.

'Vooruit, Otto, druk op die knop, voordat dat ding het hele gebouw op ons laat neerstorten!' schreeuwde Shelby over het lawaai heen.

'Nog een paar seconden,' antwoordde Otto. Hij hoopte vurig dat het ging lukken. Als Brein weigerde mee te werken had hij geen andere keus dan de EMP aan te zetten, en dan zou hij later wel over de gevolgen nadenken. Laura zou waarschijnlijk nooit meer tegen hem praten, maar dan maakten ze in elk geval nog een kans om van het eiland af te komen.

'Ik heb een besluit genomen.' Opnieuw hoorden ze eerst de stem van Brein en kwam het zwevende hoofd pas een seconde of twee later tevoorschijn. 'Ik zal jullie helpen.' En voor de allereerste keer zagen ze Brein glimlachen.

Otto slaakte een zucht van verlichting en er verscheen een brede grijns op Laura's gezicht. Maar Shelby en Wing leken nog steeds niet zeker te weten of ze de computer wel konden vertrouwen.

'Ik zal jullie helpen bij jullie poging om van het eiland te ontsnappen – maar op één voorwaarde,' ging Brein verder. Er klonk een klik en een zoemend geluid en vervolgens gleed er een wit blokje uit het voetstuk van de computer. Om de randen liep een dun lijntje blauw licht. Het zwevende gezicht verdween en kwam toen, in een veel kleinere vorm, boven het blokje weer tevoorschijn. Met een schurkachtige grijns keek Brein om zich heen.

'Ik ga met jullie mee.'

Hoofdstuk 13

De zware stalen deuren die de ruimte afsloten waarin Brein zich bevond, zwaaiden met een donderend geluid open. De gang daarachter was gelukkig leeg.

'Kom op.' Otto stapte naar buiten. 'We moeten opschieten.' Hij liep weg door de gang en de andere drie volgden hem op de voet. Laura droeg Brein en ze hoorden zijn kalme, kunstmatige stem terwijl ze zich voorthaastten.

'Ik heb een aantal elektriciteitspunten afgesloten. Als het goed is wordt alleen het beveiligingssysteem langs onze route stilgelegd, samen met een paar onbelangrijke systemen op andere plekken in het instituut.'

Wing en Otto gingen voorop door de gang en letten goed op of ze surveillerende bewakers zagen.

'Kunnen we Brein wel vertrouwen?' fluisterde Wing.

'We moeten wel, volgens mij,' antwoordde Otto zachtjes. 'Zonder hem komen we nooit langs het bewakingssysteem. Nu zien we in elk geval waar we lopen – als ik de EMP had aangezet hadden we dit in het pikkedonker moeten doen. Bovendien heeft hij net zoveel te verliezen als wij. Ik denk niet dat dr. Nero erg blij zal zijn als hij hoort dat Brein ons heeft geholpen.'

'Dat zal wel niet, nee,' antwoordde Wing bedachtzaam. 'Wacht...'

Wing gebaarde dat iedereen moest blijven staan. In de verte hoorden ze het geluid van stampende voeten.

'Een patrouille,' fluisterde Wing.

Otto keek om zich heen. Ze konden zich nergens ver-stoppen en de patrouille leek hun kant op te komen. Otto drukte zich tegen de muur en probeerde zich zo onzicht-baar mogelijk te maken; de anderen deden hetzelfde. Otto, Wing en Shelby keken allemaal zenuwachtig naar de hoek voor hen – het klonk alsof de bewakers elk moment voor hun neus konden staan.

Laura was dringend tegen Brein aan het fluisteren en net toen het leek alsof de patrouille de hoek om zou komen en hen zou ontdekken, hoorden ze het vertrouwde gepiep van een blackbox die gebeld werd. Otto wist dat het ding niet van een van zijn medesamenzweerders was, want hij had tegen iedereen gezegd dat ze hun blackbox in hun kamer moesten laten liggen. Om de hoek klonk een stem die ze niet kenden – de bewaker stond maar een paar meter ver-derop. Otto hield zijn adem in en probeerde geen enkel geluid te maken.

'Hallo,' snauwde de stem.

'Commandant, met Brein. Volgens mijn gegevens is er iemand zonder toestemming in Technieklab vier. Wilt u onmiddellijk gaan kijken?'

'Begrepen. We gaan er nu heen,' antwoordde de stem. 'Kom op mannen, we schijnen bezoek te hebben.' Het geluid van de patrouille stierf weg terwijl ze door de andere gang wegliepen.

'Dank je wel,' fluisterde Laura terwijl ze het blokje waar Brein in zat bij haar gezicht hield.

'Graag gedaan, juffrouw Brand,' antwoordde Brein. 'Maar binnen een paar minuten zullen ze erachter komen dat het vals alarm was en dan gaan ze verder met hun ronde. We moeten opschieten.'

'Maak je maar geen zorgen.' Otto glimlachte. 'We zijn er bijna.'

Mevrouw Gonzales liep boos heen en weer door haar laboratorium in de hydrokoepel. Twintig minuten geleden had Brein zomaar zonder aanwijsbare reden op een aantal plekken de elektriciteit afgesloten en nu kregen de planten in de rekken voor haar geen voedsel meer, omdat de buisjes waar het water doorheen liep waren uitgeschakeld. Dat betekende dat in het hele gebouw alle pijpen waar voedsel, groeihormonen en groeiremmende chemicaliën doorheen liepen ook droog lagen. Als de stroom niet snel weer werd ingeschakeld zouden de planten en experimenten in de hele koepel vreselijk veel schade kunnen oplopen. Ze had geprobeerd om Brein op te roepen en hij had niet gereageerd. Dat had ze nog nooit meegemaakt. Toen ze de deur van haar laboratorium had willen opendoen om te kijken wat er aan de hand was, bleek het elektronische slot ook niet meer te werken. Dus zat ze opgesloten in haar lab, te midden van haar experimenten, die allemaal zouden mislukken als het voedingssysteem niet snel weer ingeschakeld werd. Er was overduidelijk ergens iets misgegaan. Ze had het al niet prettig gevonden om alle controle over de geautomatiseerde systemen in de koepel aan Brein over te dragen, maar professor Pike had haar verzekerd dat alles juist veel efficiënter zou verlopen. Nu leek het erop dat haar twijfels terecht waren geweest.

Plotseling hoorde ze buiten iets breken – er was nog

iemand anders in de koepel! Ze keek op haar computer-scherm, dat het gelukkig nog steeds leek te doen, en klikte langs de verschillende beelden van de bewakingscamera's die overal in de koepel hingen. Eerst kon ze niets ontdek-ken wat op een indringer wees, maar toen ze het kleine laboratorium zag dat Nigel Doemduister van haar mocht gebruiken, werden haar ogen groot van verbazing.

Nigels lab leek volledig in puin te liggen. Op de werktafel stonden de resten van een glazen bak, en de kamer was bezaaid met scherven. De deur van het lab hing uit zijn hengsels, alsof hij met geweld van binnenuit was openge-slagen. Weer hoorde ze verderop in de koepel iets breken en de computer van mevrouw Gonzales begon doordrin-gend te piepen. Ze keek snel op het nieuwe venster dat net was geopend. De druk in de buizen die haar speciaal ont-worpen groeihormonen naar de planten in de koepel ver-voerden, was dramatisch gedaald. Iemand had de reser-voirs kapotgeslagen, besefte ze, dat kon niet anders. Ze pakte de blackbox die op haar bureau lag en vroeg om ver-binding met de beveiliging. Een paar seconden later ver-scheen de bewakingscommandant op het scherm.

'Ja, mevrouw Gonzales, wat is er?' vroeg de man korzelig.

'Nou, het is een beetje gênant, maar ik geloof dat ik opge-sloten zit in mijn laboratorium en volgens mij houden er vandalen huis in de koepel. Kunt u me helpen?'

'Maar natuurlijk, mevrouw. Ik stuur meteen een team naar u toe. Het is wel raak, vanavond.'

'Hoe bedoelt u?' vroeg mevrouw Gonzales.

'O, niets bijzonders. Er gaat van alles mis – overal in het instituut liggen bijsystemen stil. Ik heb Brein gevraagd wat er aan de hand is, maar hij zegt dat het moeilijk is om de precieze oorzaak te achterhalen,' antwoordde de bewaker.

Dat verklaarde het defecte voedingssysteem, dacht ze bij zichzelf, en ook haar kapotte laboratoriumdeur. Opnieuw klonk er een zware bonk buiten, nog harder dan de vorige, en ze zag tot haar schrik dat in sommige gedeeltes van de koepel de camera's uitvielen.

'Kunt u dat team alstublieft zo snel mogelijk sturen?' vroeg mevrouw Gonzales, die bang begon te worden. 'De boel wordt hier kort en klein geslagen.'

Otto gluurde om de hoek. Hij zag geen bewakers in de korte gang die naar de stalen deuren van het duikbootdok liep, en voor het eerst mocht hij van zichzelf denken dat het ging lukken. Op de blauwdrukken hadden meerdere ligplaatsen voor vaartuigen gestaan en hij was ervan overtuigd dat er minstens één onderzeeër zou liggen. Hij gebaarde dat de anderen achter hem aan moesten komen en liep naar de deuren. Toen ze bij het dok waren zag hij dat er een soort verrekijker aan de muur hing – een irisscanner, besefte hij.

'Brein, kun jij de deur voor ons opendoen?' vroeg Otto terwijl de anderen om hem heen kwamen staan.

'Ik heb geen toegang tot de sloten van zwaarbeveiligde locaties. Daar is toestemming van de leiding voor nodig,' legde Brein uit.

'Laura, pak het gereedschap – we zullen het slot moeten kraken,' zei Otto terwijl hij het apparaat aan de muur wat beter bestudeerde. Hij moest proberen het binnenwerk bloot te leggen, dan wist hij zeker dat ze samen het systeem zouden kunnen omzeilen.

'Daar hebben we geen tijd voor,' zei Shelby ongerust terwijl ze op haar horloge keek.

'Nou, dan zullen we maar tijd moeten maken,' antwoordde Otto, en hij pakte een schroevendraaier aan van Laura.

'Ik weet een betere oplossing,' zei Brein kalm. Zijn gekrompen hoofd zwol op tot het zo groot was als een normaal mensenhoofd en zijn nietsziende ogen gingen dicht. Toen hij ze weer opendeed, lagen er twee griezelig echte ogen in de eerst nog lege kassen. Het zag er heel bizar uit.

'Kun je me even optillen tot voor de scanner, alsjeblieft?' vroeg Brein. Laura pakte het blokje op en hield Brein voor de irisscanner. Brein bracht zijn zwevende hoofd wat naar voren zodat hij met zijn nieuwe ogen in het apparaat kon kijken. Er klonk een piep en een computerstem zei: 'Toegang verleend, professor Pike.'

'Geweldig,' grijnsde Laura. 'Hoe doe je dat?'

'Ik heb de ogen van mijn vader, juffrouw Brand,' antwoordde Brein glimlachend.

Ze hoorden een sissend geluid en onzichtbare sloten die opzijschoven, waarna de deuren dreunend openzwaaiden. Otto's blijdschap veranderde op slag in ontzetting en achter hem hoorde hij Shelby naar adem happen. Er was geen duikbootdok. Voor hen lag slechts een grote betonnen ruimte, zonder andere deuren of uitgangen. In een grote leren stoel midden in de kamer zat dr. Nero, met een kwaadaardige glimlach op zijn gezicht.

'Kom nou, meneer Malpense. U had toch zeker niet gedacht dat het echt zo makkelijk zou zijn, hè?'

Hoofdstuk 14

Otto bleef als aan de grond genageld staan en zijn hoofd begon te duizelen. Al hun moeite was voor niets geweest. Wing draaide zich om alsof hij door de gang weg wilde rennen, maar er stond een donkerharige vrouw achter hem die hem de weg versperde. Ze had in beide handen een Japans zwaard vast en het was duidelijk dat ze die zonder aarzeling zou gebruiken als dat nodig mocht zijn. Wing liet zich niet intimideren. Hij nam een vechthouding aan en ging klaar staan om het tegen de mysterieuze vrouw op te nemen.

'Niet doen,' zei ze terwijl ze de zwaarden ronddraaide en behendig terug liet glijden in de gekruiste schedes op haar rug.

Wing gaf geen antwoord en liep langzaam op haar af, met zijn lichaam nog steeds in de aanvalshouding.

'Domme jongen,' zei de vrouw terwijl ze een stap naar voren deed. Achteraf zouden de anderen zweren dat ze haar niet eens hadden zien bewegen. Er suisde iets door de lucht en plotseling deinsde Wing jammerend van pijn achteruit.

'Ik heb net je linkerpols gebroken. Als je het nog een keer probeert, breek ik de andere ook,' zei ze kalm.

Wing hijgde gejaagd en drukte zijn gewonde arm tegen zijn lijf. Otto had hem nog nooit zo bang gezien. De vrouw kwam nog dichterbij en dreef de geschrokken kinderen de kamer in.

'Bedankt, Raaf. Volgens mij zijn onze gasten nu een en al aandacht.' Nero stond op en liep op hen af. 'Aan jullie gezichten te zien zijn jullie verrast door mijn aanwezigheid. Maar voor mij was jullie komst absoluut géén verrassing. Ik moet zeggen dat jullie een behoorlijk vernuftig plan hebben uitgedacht, en ik heb jullie vorderingen dan ook met veel plezier gevolgd. Het is bijna jammer om een eind aan deze nachtelijke activiteiten te moeten maken, maar zo gaat dat in het leven.'

Otto's schrik was weggeëbd. Hij keek Nero woedend aan. Nero had met hen gespeeld, had hen doen geloven dat ze zouden kunnen ontsnappen, terwijl hij al die tijd had geweten dat ze al die moeite voor niets deden. Hij zag hen gewoon als een experiment.

'Juffrouw Brand, volgens mij hebt u iets van mij.' Nero stak zijn hand uit en Laura gaf hem met een wit gezicht het blokje aan waar Brein in zat. 'Dank u. Brein uitschakelen, code Nero omega zwart.'

Breins hoofd verdween en Nero legde het blokje met zorg op de stoel achter hem.

'Ik geloof dat professor Pike wat gedragsveranderingen zal moeten doorvoeren bij onze digitale assistent om dit soort dwalingen te voorkomen. We zullen ervoor zorgen dat hij in de toekomst niet meer ongehoorzaam kan zijn.'

Laura keek overstuur: het was al erg genoeg dat ze gepakt waren, maar nu hadden ze Brein ook nog eens tot een digitale lobotomie veroordeeld. Nero liep langzaam op en neer voor het groepje kinderen en keek hen een voor een aan.

'Ik wil jullie allemaal één ding vragen. Waar dachten jullie precies naartoe te vluchten? Ligt er soms een beloofd land achter deze schoolmuren waar jullie dolgraag heen wilden gaan? Juffrouw Trinity, wilde u misschien weer gewoon protserige prullen gaan stelen? Eeuwig zonde van uw niet-geringe talent, als u het mij vraagt. Meneer Fanchu, wat denkt u dat uw vader zou doen als u terug zou komen? U met open armen begroeten? Of u rechtstreeks terugsturen naar de plek die hij kennelijk voor u heeft uitgekozen?'

Shelby en Wing keken diepongelukkig. Otto vermoedde dat ze allebei niet echt hadden nagedacht over wat de toekomst hun zou brengen. Iedereen had zich veel te veel geconcentreerd op de problemen die ze moesten oplossen om hun ontsnappingsplan te laten slagen.

'Mijn ouders hebben me hier niet naartoe gestuurd,' snauwde Laura boos. 'U hebt me ontvoerd en u houdt me hier tegen mijn wil vast. Ik weet zeker dat ze willen dat ik naar huis kom.'

'Is dat zo, juffrouw Brand?' Nero keek haar doordringend aan. 'Ze leken u anders maar wat graag hierheen te sturen toen ze hoorden wat het alternatief was. Uw inbraak in een militair netwerk is niet onopgemerkt gebleven, al dacht u van wel. Sterker nog, als u hier nu niet was, zou u de komende twintig jaar in een zwaarbewaakte gevangenis doorbrengen voor wat u hebt gedaan. De politie was al onderweg toen u door een van mijn werknemers werd gerekruteerd. Toen uw ouders moesten kiezen tussen dat akelige lot of een veilige opleiding op H.I.V.E.S. waren ze er snel uit. We hebben u met hun goedkeuring opgehaald.'

Laura's geschokte blik maakte plaats voor ontsteltenis toen ze hoorde wat Nero vertelde.

'Misschien,' ging Nero verder, 'bent u de rest van uw

leven liever op de vlucht voor de militaire geheime dienst, in de wetenschap dat u, als u gepakt wordt, voorgoed achter slot en grendel komt te zitten. Maar u zou natuurlijk ook uw opleiding op H.I.V.E.S. kunnen afmaken, en dan zal ik u persoonlijk garanderen dat de zoektocht naar Laura Brand voorgoed gestaakt wordt. Zegt u het maar.'

Laura stond erbij als een verward hoopje ellende en Nero liep verder. Hij bleef staan bij Otto.

'En u, meneer Malpense, het brein achter dit gezellige uitstapje. Wat moeten we nou met u? U wilt blijkbaar vreselijk graag terug naar uw oude leventje, maar ook aan u vraag ik: waarom? U zou alles wat H.I.V.E.S. u te bieden heeft opgeven voor de kans om terug te keren naar een bouwvallig weeshuis en het plegen van een misdaadje hier of daar. Uiteindelijk verbaast uw verzet tegen uw nieuwe leven hier me nog het meest van allemaal.'

Ondanks zijn woede en frustratie besefte Otto dat Nero precies hetzelfde zei als de stemmetjes in zijn achterhoofd die hij zo heftig geprobeerd had te negeren. Waar kon hij eigenlijk naar toe?

'Maar uw plan was beslist ingenieus, ik kan niet anders zeggen. Uw doorzettingsvermogen heeft me versteld doen staan, en ik moet toegeven dat ik niet had voorzien dat het u zou lukken om Brein ervan te overtuigen u te helpen bij uw ontsnappingspoging. Begrijp me goed, ik wist zeker dat u zo ver zou komen. We hadden u immers precies de juiste duwtjes in de rug gegeven. Wat vreselijk slordig toch van de professor, om die blauwdrukken zomaar op zijn bureau te laten slingeren, juist toen er een leerling in de buurt was met een griezelig goed fotografisch geheugen. En wat jammer dat er op die blauwdrukken nou net een niet-bestaand duikbootdok stond. Ik vraag me af hoe zo'n grove fout zich heeft kunnen voordoen.'

'We hadden Brein ernstig kunnen beschadigen. Waarom zou u ons dat laten doen?' vroeg Otto terwijl hij Nero recht aankeek. Zelfs nu weigerde hij zich te laten intimideren door de man die voor hem stond.

'O, met dat EMP-apparaatje van u, bedoelt u. Ja, het had behoorlijk rampzalig kunnen aflopen als u dat had aangezet. Of liever gezegd, als u geprobéérd had het aan te zetten. Professor Pike wist me te vertellen dat het uitstekend gewerkt zou hebben, en daarom heb ik het toen u gisteren in de klas zat laten omwisselen met een niet-werkend exemplaar. Het instituut is dus geen moment echt in gevaar geweest, al was u zich daar wellicht niet van bewust.'

Otto moest het toegeven: voor het eerst in zijn leven was iemand hem te slim af geweest, en dat was geen prettig gevoel.

'Er is maar één reden waarom ik jullie zo ver heb laten komen – ik wil dat jullie allemaal begrijpen dat het werkelijk geen enkele zin heeft om te proberen zonder toestemming het eiland af te gaan. Ik wist heel goed dat het geen effect zou hebben als ik het gewoon tegen jullie zou zeggen; jullie moesten het zelf ervaren. Om de zoveel jaar probeert er wel weer een groepje leerlingen via een of andere weg te ontsnappen, en de uitkomst is altijd hetzelfde. Ik neem aan dat jullie deze les niet snel zullen vergeten.' Nero glimlachte weer. 'Raaf, zou jij juffrouw Trinity en juffrouw Brand terug willen brengen naar hun kamer? Ik kom er zo aan met meneer Fanchu en meneer Malpense, maar we moeten eerst langs de ziekenboeg om die pols te laten behandelen.' Hij gebaarde naar Wing, die zijn pols nog steeds beschermend tegen zich aan gedrukt hield. 'Wen maar aan het idee dat jullie hier zullen blijven. H.I.V.E.S. is jullie thuis, en hoe eerder je dat accepteert, hoe beter.'

Mevrouw Gonzales gluurde zenuwachtig door het raam van haar kantoor. Alle lichten in de koepel waren uitgevallen en de enige camera die het nog deed, hing in de hoek van de kamer waarin ze nu stond. Ze hoorde nog steeds gebonk in de duisternis rond haar kantoor en ze zou gezworen hebben dat ze iets had zien bewegen in het dichte gebladerte, maar het was te donker om te kunnen zeggen wat.

Plotseling schrok ze van een krassend geluid op de deur. Ze deinsde langzaam achteruit terwijl het geluid steeds harder werd en de deur centimeter voor centimeter openging. Opeens flitste er een fel licht aan dat haar heel even verblindde.

'Mevrouw Gonzales?' Het was een bewaker met een zaklamp en een stille in zijn handen. Er lag een nerveuze uitdrukking op zijn gezicht. 'Sorry dat het zo lang geduurd heeft voor we er waren, mevrouw Gonzales, maar alle deuren van de koepel waren dicht en we schoten niet op doordat we ze allemaal moesten forceren.'

'Maakt niet uit,' antwoordde ze. 'Ik ben blij dat jullie er zijn. Er loopt hier iemand rond, ik weet het zeker.' Ze gebaarde naar het donkere raam dat uitkeek op de koepel. 'Wel meer dan één iemand trouwens, aan de herrie te horen.'

'We vinden ze wel, mevrouw, wie het ook zijn,' zei de bewaker. Ze zag dat er nog een paar bewakers in de donkere gang achter hem stonden.

'Nou, als u het niet erg vindt laat ik het verder aan u over, dan ga ik terug naar mijn kamer.'

'Uiteraard, mevrouw. Ik bel u als we weten wie het is.' De man deed een stap opzij om haar erdoor te laten. Ze knikte beleefd naar het groepje bewakers en liep naar de uitgang van de koepel. Ondertussen hoorde ze de beveiligers met elkaar praten.

'Beslist meer dan één indringer – de bewegingszoeker draait helemaal door.'

'Laat eens zien... hij is vast stuk, het lijkt wel alsof er een halve eenheid rondstampt daarbinnen. Kom, we gaan eens even een kijkje nemen.'

Mevrouw Gonzales liep vlug door naar de uitgang, blij dat ze niet zelf op zoek hoefde naar de mysterieuze insluipers. Ze was vlak bij de uitgang toen de bewakers begonnen te schieten en ze de stillen aan één stuk door hoorde zoeven. Toen begon het gegil. Er werd nog wel geschoten, maar steeds minder, tot het ijzingwekkend stil werd in de koepel. Ze rende naar de deur en greep naar de kruk toen ze achter zich een bloedstollend, sissend gebrul uit de duisternis hoorde komen. Ze rukte de deur open en rende weg, zonder achterom te kijken.

'Team zes, melden alstublieft.' Het hoofd beveiliging klonk ongewoon ongerust. 'Melden!'

'Ik heb het al twee keer gecontroleerd, meneer. Er is niets aan de hand met het communicatiesysteem, ze zouden ons luid en duidelijk moeten kunnen ontvangen.'

De commandant ijsbeerde door de meldkamer van de beveiliging en keek naar de rij schermen voor hem. Het zat hem niet lekker. Eerst had een van zijn teams een oproep ontvangen over de technieklokalen, waar een indringer zou rondlopen die vervolgens nergens was aangetroffen. Nu kreeg hij geen contact meer met het team dat hij naar de hydrokoepel had gestuurd om te kijken wat daar aan de hand was. En om de verwarring compleet te maken hadden ze blijkbaar ook geen enkel contact meer met Brein. De computer had al tien minuten niet meer op hun oproepen gereageerd.

'Waar is team acht?' vroeg de commandant, terwijl hij naar de schermen bleef turen.

'Op twee minuten van het hydrocultuurcomplex, meneer. Ze kunnen zich elk moment melden,' zei de bewaker naast hem.

'Ik wil een uitgebreid verslag als ze terugkomen, en zeg tegen Monroe dat hij voorzichtig moet zijn, tot we weten wat er met team zes is gebeurd.'

Het zat hem echt helemaal niet lekker.

Otto en Wing liepen door de gang naar de ziekenboeg. Nero liep een paar meter achter hen, waardoor ze niet ongestoord met elkaar konden praten. Aan de ongelukkige blik op zijn gezicht te zien was Wing sowieso niet in een al te spraakzame bui. Achter zich hoorden ze een piep en Nero haalde zijn blackbox uit de binnenzak van zijn jas.

'Hallo, commandant. Wat is er?' vroeg Nero terwijl hij naar het scherm keek.

'Er gebeuren vreemde dingen in het hydrocultuurcomplex, meneer. Mevrouw Gonzales heeft gemeld dat er indringers waren en we hebben geen contact meer met de eerste eenheid die ik erheen heb gestuurd.'

'Indringers? Is het beveiligingshek van buitenaf geforceerd?' vroeg Nero met gefronste wenkbrauwen.

'Nee, meneer, dat is juist het rare. De externe beveiliging is nog helemaal intact – het moet iemand van binnen H.I.V.E.S. zijn. Ik heb geprobeerd om Brein om meer informatie te vragen, maar hij reageert niet.'

'Ik ben bang dat Breins hogere functies tijdelijk offline zijn, commandant.' Nero keek even naar Otto. 'U hebt hier toch niet toevallig iets mee te maken hè, meneer Malpense?'

'Nee,' antwoordde Otto eerlijk. Ook hij was benieuwd wat er aan de hand was.

'Hmm. Goed, commandant, wees voorzichtig en hou me op de hoogte.' Voor het eerst sinds Otto op H.I.V.E.S. was gekomen keek Nero bezorgd. Hij klapte de blackbox dicht en keek naar de twee jongens. 'Jullie gaan met mij mee naar de hydrokoepel, en als ik erachter kom dat jullie hier iets mee te maken hebben, zijn jullie nog niet jarig, neem dat maar van me aan.'

Beveiligingsteam acht liep op een drafje door de gang naar de hydrocultuurgrot. Er was nog steeds geen contact met team zes. Plotseling kwam mevrouw Gonzales met een doodsbange blik in haar ogen de hoek om gerend. Het duurde even voor ze haar gekalmeerd hadden zodat ze kon vertellen wat er met team zes was gebeurd, maar toen ze zei wat ze had gezien en gehoord nam Monroe, de teamleider, direct contact op met zijn baas.

'Rustig aan, Monroe. Wat heeft ze precies gezegd?' vroeg de commandant, en zijn miniatuurgezicht fronste zijn wenkbrauwen op het schermpje van Monroes blackbox.

'Ze zei dat ze schoten hoorde, maar dat die na een paar seconden ophielden, en dat ze daarna gebrul hoorde.' Monroe moest zijn best doen om de zenuwen in zijn stem te onderdrukken.

'Als van een beest, bedoel je?' vroeg de commandant een beetje geïrriteerd.

'Ze zegt dat het niet als een mens klonk, meneer,' antwoordde Monroe.

'En team zes is nog steeds spoorloos?'

'Dat klopt, meneer... Als we daar naar binnen moeten, wil ik graag toestemming om een van de gewone wapenkluizen te openen. Ik ben bang dat stillen weinig zullen uithalen.'

De commandant dacht even na en knikte toen. 'Goed, Monroe. Ik zal de kluis opendoen aan het eind van de gang waar jullie nu zijn. Als je er maar voor zorgt dat de mannen niet in het wilde weg gaan lopen schieten. Straks zijn het leerlingen, en dan moeten we niet hebben dat jullie eerst iedereen afknallen en pas achteraf kijken wat er eigenlijk aan de hand is. Is dat duidelijk?'

'Glashelder, meneer. Zodra we in de koepel zijn, hoort u van me. Over en uit.'

Dertig meter verderop gleed er een paneel in de muur opzij. In de nis erachter stonden een stuk of tien geweren keurig in een rek naast elkaar. Monroe gaf ze een voor een aan zijn mannen.

'Goed, pas als ik het zeg doe je de veiligheidspal eraf en mag je vinger op de trekker. Als je echt moet schieten, dan alleen als je zeker weet waarop.'

Monroes mannen keken zenuwachtig – hij wist precies hoe ze zich voelden.

Nero liep de loopbrug op die langs de wand van de grot liep en keek omlaag naar de hydrokoepel in de diepte. Otto en Wing wandelden naar de balustrade en keken ook naar beneden, net op tijd om een groep van een stuk of tien bewakers door de grot naar de koepel te zien rennen.

'Dat zijn geen stillen,' zei Wing met een opgetrokken wenkbrauw.

Otto keek nog eens goed en zag meteen dat Wing gelijk had. De bewakers droegen geweren, en hun stillen zaten weggestopt in hun holsters. Het was blijkbaar goed mis daar beneden. Een paar seconden later waren de bewakers bij de deur van de koepel, waar ze met hun wapens in de aanslag gingen klaarstaan. Otto zag opnieuw een bezorgde blik op Nero's gezicht – dit behoorde duidelijk niet tot de dagelijkse gang van zaken op H.I.V.E.S.

De bewakers verdwenen een voor een door de deur en

door het glazen dak van de koepel konden ze het licht van hun zaklampen zien. Plotseling knipperde het licht dat voorop had gelopen uit en barstte de hel los. Alle bewakers begonnen tegelijk te schieten; de harde knallen galmden door de grot. Eén bewaker rende de deur uit, de grot door, en liet in de haast zijn geweer vallen. Algauw volgde er nog een bewaker, en nog twee – ze renden allemaal door de grot alsof hun leven ervan afhing. Het werd stil. Er klonken geen schoten meer en de andere leden van het bewakingsteam waren ook nergens meer te zien.

Nero klapte zijn blackbox open. 'Commandant, wat is er daarbeneden in vredesnaam aan de hand?'

'Zodra ik het weet, laat ik het u weten, meneer,' antwoordde de commandant. Op de achtergrond hoorde Otto mensen schreeuwen.

Plotseling klonk er een enorme knal en de hele hydrokoepel schudde op zijn grondvesten. Otto tuurde naar beneden en probeerde in de donkere koepel te kijken. Hij zag wel iets bewegen, maar kon geen details onderscheiden. Opnieuw galmde er een daverende knal door de grot, waarna er kleine barstjes in het glas van de koepel verschenen. Otto's ogen werden groot van verbazing. Het glas was meer dan twee centimeter dik en zogenaamd onbreekbaar. Er moest wel iets heel sterks met enorme kracht tegenaan bonken.

Er klonk een ijzingwekkend gebrul en het dak van de koepel spatte in duizenden stukjes uit elkaar. Uit de kapotgeslagen resten kwam een enorme muil tevoorschijn, en hoewel ze tot monsterlijke proporties was opgezwollen, herkenden Otto en Wing haar direct. Ze keken elkaar verbijsterd aan en zeiden toen in koor: 'Violet!'

Er was bijna niets meer over van het kleine plantje dat ze een paar uur geleden nog hadden gezien. De lange, buigzame steel was dikker dan een mammoetboom, met daarop een kaak zo groot als een vrachtauto, vol puntige tanden zo groot als verkeerspionnen. Ze brulde opnieuw, zo hard dat de loopbrug ervan trilde; uit haar gapende muil droop groen slijm. Haar enorme hoofd zwaaide van links naar rechts en haar tanden knarsten in de lucht terwijl twee van de overgebleven bewakers met hun geweren het vuur op haar openden. Ze hadden net zo goed blaaspijpjes kunnen gebruiken.

'Commandant! Haal uw mannen onmiddellijk weg uit de grot. We hebben een groot probleem,' snauwde Nero terwijl hij zijn blackbox omdraaide en de kleine camera op de monsterlijke plant richtte.

'Mijn God!' hoorden ze de commandant zeggen. 'Alle teams onmiddellijk terugtrekken! Alle gewone wapenkluizen rondom de grot worden geopend – ik wil vlammen- en raketwerpers op die loopbrug, nu!'

Nero, Otto en Wing waren voorlopig nog veilig op de loopbrug, waar ze minstens vijftig meter boven de muil van de plant stonden. Otto keek met een mengeling van afschuw en fascinatie toe en zág het ding gewoon groeien. Lange tentakels vol scherpe doornen en zuignappen kronkelden over de puinhopen van de koepel en verspreidden zich angstaanjagend snel over de vloer van de grot.

Nero draaide zich met een woedend gezicht om naar Otto en Wing. 'Wat hebben jullie gedaan, Malpense? Wat ís dat?' vroeg hij op hoge toon.

Otto schudde zijn hoofd. 'U zult me wel niet geloven, maar wij hebben hier niets mee te maken.'

'Leg me dan maar eens uit waarvan jullie dat monster kennen.' Dit was de eerste keer dat Otto Nero zijn stem hoorde verheffen.

'Nigel heeft haar gisteren aan ons laten zien, alleen was ze toen nog maar vijftien centimeter lang,' antwoordde Otto, en hij hoopte vurig dat Nero de groene vingers van zijn vriend heel zou laten.

'Doemduister? Heeft Doemduister dit gedaan?' Nero was zichtbaar verbaasd. Hij legde zijn hand op zijn voorhoofd en wreef over zijn slapen. 'O, waarom zijn de kale leerlingen toch altijd het ergst?'

Hoofdstuk 15

Raaf keek toe hoe de twee meisjes hun kamer in liepen en de deur achter zich dicht trokken. Hoewel ze het niet altijd eens was met de manier waarop Nero met dit soort ontsnappingspogingen omging, had ze al een hele tijd geleden geleerd dat ze maar beter niet te veel vragen kon stellen bij zijn beweegredenen. Ze vond het ook jammer dat ze Fanchu had moeten verwonden, maar ze had de vorige dag tijdens het gevecht met de twee jongens in de gang gezien wat hij kon. Daardoor had ze geweten dat ze de confrontatie meteen in de kiem moest smoren. Hij had in elk geval geen blijvende schade opgelopen, en dat konden lang niet al haar tegenstanders zeggen.

Nu liep ze door het atrium van het woongedeelte naar de uitgang, op weg naar haar eigen kamer. Malpense was veilig in Nero's handen en ze wilde proberen wat te slapen. Doordat ze hun hele ontsnappingspoging had gevolgd had ze zelf ook al bijna vierentwintig uur haar bed niet gezien. En hoewel ze als het nodig was vrijwel eindeloos door kon gaan, moest ze net als iedereen af en toe even uitrusten.

Opeens begon de blackbox in het zakje aan haar gordel te trillen. Ze haalde hem eruit en klapte hem open. Nero keek haar aan vanaf het scherm, en door de oprecht bezorgde uitdrukking op zijn gezicht begonnen er meteen alarmbellen te rinkelen in haar hoofd.

'Raaf, ik wil dat je onmiddellijk naar de loopbrug in de hydrocultuurgrot komt.' Hij kon de ongeruste toon in zijn stem niet onderdrukken. Op de achtergrond hoorde ze een griezelig, krijsend gebrul.

'Wat is er aan de hand, doctor?' vroeg ze dringend.

'Ik denk dat je dat met eigen ogen moet zien,' antwoordde hij terwijl hij naar iets aan zijn linkerhand keek, buiten het beeld van de camera.

'Kom eraan.' Ze klapte de blackbox dicht en rende naar de grot.

'Toe nou, Nigel, wakker worden.' Otto schudde zijn blackbox heen en weer, alsof Nigel dan eerder zou opnemen. Na nog een paar eindeloze seconden verscheen Nigel op het scherm terwijl hij verwoed in zijn ogen wreef.

'Otto, ik weet niet of je het doorhebt, maar het is halfvijf 's ochtends,' kreunde Nigel.

'Sorry, Nigel, dit kan echt niet wachten,' snauwde Otto terug.

'Wat dan?'

'Kijk zelf maar.' Otto richtte de camera op het razende monster dat ooit Nigels biotechnologieproject was geweest.

'Violet!' riep Nigel uit, en Otto draaide de camera weer naar zichzelf. 'Lieve help, wat is er met haar gebeurd?'

'Ik hoopte dat jij ons dat zou kunnen vertellen, Nigel,' probeerde Otto zo rustig mogelijk te antwoorden.

'Gisteravond was er nog niets aan de hand. Voor ik naar mijn kamer ging ben ik nog even bij haar gaan kijken. Ik heb geen idee waardoor dit gebeurd zou kunnen zijn.'

Otto keek naar het tafereel onder hem. De wriemelende massa dodelijk uitziende tentakels bedekte nu de hele grot. Tot zijn afschuw zag hij hoe een paar tentakels de klep van een ventilatieschacht in de wand van de grot wegrukten en opzij gooiden, waarna ze angstaanjagend snel de buis in begonnen te kruipen.

'Hoe krijgen we haar dood, Nigel?' wilde Otto weten.

'Je mag haar niet doodmaken! Ze weet niet wat ze doet!' jammerde Nigel.

'Het is zij of wij, Nigel. Als we haar niet tegenhouden, overwoekert ze de hele school. Dus, hoe krijgen we haar dood?' Otto begon zijn geduld te verliezen.

Nigel aarzelde even. Hij had een gekwelde, besluiteloze uitdrukking op zijn gezicht. 'Er zit een groep zenuwbundels onder aan de steel. Als je die kapotmaakt, gaat ze dood.'

Otto tuurde met samengeknepen de grot in om te kijken of hij onder aan de enorme steel iets kon ontdekken. Toen zag hij ze – in een kring rond de stam zaten kloppende, met slijm bedekte blazen, stuk voor stuk zo groot als een kleine auto.

'Ja, ik zie ze.'

'Ik kom naar jullie toe. Misschien kan ik haar kalmeren,' zei Nigel radeloos.

Het monster klapte haar enorme bek achterover en stootte opnieuw een bloedstollend gebrul uit. Het klonk alsof iemand met zijn nagels over een schoolbord kraste.

'Ik ben bang dat het daar al iets te laat voor is, Nigel. Blijf zitten waar je zit.'

Terwijl Otto zijn blackbox dichtklapte, kwam het hoofd van de beveiliging op Nero af gerend.

'Ze zit in de schachten, meneer. Als ze zo snel blijft groeien heeft ze binnen een paar uur de hele school overwoekerd.' Helaas leek hij verder geen idee te hebben wat ze daaraan zouden kunnen doen. Achter de commandant verspreidde een groep bewakers zich over de loopbrug. Sommigen droegen vlammenwerpers, met grote brandstoftanks op hun rug, en anderen waren gewapend met raketwerpers die op hun schouders lagen.

'Uitstekend, commandant. Vuren maar. We zullen eens zien hoeveel dat ding kan hebben,' beval Nero.

'Je moet op die zwellingen onder aan de stam richten,' voegde Otto er op Nigels advies aan toe.

De commandant knikte en schreeuwde instructies naar zijn mannen, die nu over de gehele lengte van de loopbrug stonden. Daarna riep hij: 'Vuur!'

Dat hoefde hij geen twee keer te zeggen, want meteen vlogen er meerdere raketten tegelijk vanaf de loopbrug naar de plant. De tentakels aan de onderkant reageerden verschrikkelijk snel – ze schoten de lucht in en mepten de projectielen opzij voordat die hun doel bereikten, waarna ze zonder schade aan te richten tegen de muren of in de tentakels aan de zijkant ontploften. De bewakers zouden de zenuwbundels vanaf hier nooit kunnen vernietigen. De ene na de andere raket werd opzij gezwiept voor hij zelfs maar in de buurt van de steel kon komen. Nero keek nog ongeruster dan eerst.

'Commandant, sluit de woonblokken af. Als dat ding bij de leerlingen komt, krijgen we een waar bloedbad.'

In het atrium van woonblok zeven zaten Laura en Shelby terneergeslagen op een van de banken. Ze hadden allebei geen zin om over hun jammerlijk mislukte ontsnappingspoging te praten, maar ze waren tegelijkertijd ook te opgefokt om te kunnen slapen. Plotseling klonken er aan alle kanten harde, metalige klappen.

'Wat is dat?' schreeuwde Laura over de herrie heen.

Shelby keek het atrium rond. 'Ze timmeren de ventilatieschachten dicht,' zei ze terwijl er nog meer stalen platen achter de roosters in de muren van het woongedeelte gleden.

'Ze denken toch zeker niet dat we daar vanavond wéér in kruipen, hè?' kreunde Laura. 'We hebben het heus wel begrepen!' schreeuwde ze naar hun onzichtbare plaaggeesten.

'Volgens mij weten ze dat wel,' antwoordde Shelby zacht toen het lawaai ophield. Toen ze achter zich een schurend geluid hoorden, draaiden ze zich allebei om en zagen dat er langzaam een enorme ijzeren plaat voor de ingang van het woongedeelte zakte. Shelby keek naar de andere ingang aan de overkant van de grot, en ook die werd hermetisch afgesloten.

'Volgens mij doen ze dat niet om ons binnen te houden.' Ze keek Laura bezorgd aan. 'Volgens mij proberen ze iets buiten te houden.'

In de hydrocultuurgrot kropen de tentakels ondertussen langs de muren omhoog, en de bewakers moesten hun uiterste best doen om ze van de eerst nog zo veilige brug te verjagen.

'De ammunitie van de raketwerpers is op, meneer. Ik weet het ook even niet meer,' zei de commandant terwijl hij ongerust naar de tentakels keek die langs de muur naar hen toe kropen.

'Maak zo veel mogelijk helikopters klaar voor vertrek,' zei Nero. Hij wist dat het onmogelijk zou worden om iedereen van het eiland te evacueren, maar misschien zou hij toch een paar leerlingen kunnen redden.

'Ja, meneer.' De commandant ging er op een drafje vandoor terwijl hij verwoed allerlei bevelen naar zijn mannen schreeuwde.

Otto keek de grot rond en probeerde de angstaanjagende berg kronkelende, met doornen bedekte ranken onder hem te negeren. Zijn blik gleed langs het plafond en zijn ogen werden groot.

Hij draaide zich om naar doctor Nero. 'Dr. Nero, ik geloof dat ik een idee heb.' Hij legde zijn voorstel kort uit en de twijfel op Nero's gezicht maakte plaats voor een bedachtzame, berekenende uitdrukking.

'Normaal gesproken zou ik zeggen dat u volslagen krankzinnig was, meneer Malpense, maar het zou zomaar eens kunnen lukken,' zei Nero met een grimmige glimlach, net op het moment dat Raaf de loopbrug op rende. Zijn beste werknemer was niet snel van haar stuk gebracht, maar nu zag Nero toch een verbijsterde blik in haar ogen toen ze naar het tafereel onder in de grot keek.

'Raaf!' schreeuwde Nero over de herrie heen van de bewakers die op de plant schoten. 'We zijn hier.'

Ze leek haar ogen nauwelijks van de plant te kunnen losrukken terwijl ze naar Nero toe liep.

'Als het misgaat, dan gaat het ook goed mis, hè Max?' vroeg ze zacht.

'Dit keer is het wel heel erg, vrees ik,' antwoordde hij ernstig.

Hij legde haar snel het plan uit dat Otto net had geopperd.

'Ik mag wel weer alle leuke dingen doen, hè,' zei ze met een duivelse grijns tegen Nero.

'Ik wil dat je nu niet Malpense alles bij elkaar zoekt wat hij nodig heeft. Ik hoef er vast niet bij te zeggen dat het haast heeft. En hou hem goed in de gaten – we zouden niet willen dat hij er in alle commotie vandoor gaat.'

'We zijn zo snel terug dat je niet eens in de gaten hebt dat we weg waren,' antwoordde ze terwijl ze zich omdraaide naar Otto.

Wing keek de in het zwart geklede vrouw argwanend aan. 'Wat heb je je nu weer op de hals gehaald, Otto?'

'Ik weet het ook niet precies,' antwoordde Otto. 'Maar ik ga niet met haar in discussie. Jij wel?'

'Ik ga met je mee. Ik vertrouw dat mens niet.'

'Ik ook niet, Wing, maar jij bent gewond. Blijf maar hier.' Wing hield zijn pols nog steeds angstvallig vast. Otto wist dat Wing met zijn gebroken pols weinig zou kunnen uitrichten als er iets zou gebeuren. Bovendien had Violet zich waarschijnlijk al door heel H.I.V.E.S. verspreid en het had geen zin om allebei als kunstmest te dienen als er iets misging.

'Malpense! Jij gaat met mij mee.' Raaf duldde geen tegen-
spraak, zo te horen.

Er stonden tientallen leerlingen bij elkaar in het atrium
van woonblok zeven. Iedereen was wakker geworden van
het geluid van de ontploffingen elders in het instituut en ze
bespraken zenuwachtig met elkaar wat er aan de andere
kant van de dichtgetimmerde grot aan de hand zou kunnen zijn. Laura keek naar de zware stalen deuren toen een
nieuwe ontploffing de grond deed schudden.

'Ik wou dat we wisten wat er aan de hand was,' zei ze
tegen Shelby. 'Denk je dat het iets met Otto en Wing te
maken heeft?'

In de verte hoorden ze geweerschoten. 'Nou,' antwoordde Shelby, 'ik mag toch hopen van niet voor ze.'

Laura zag dat Nigel zich met een angstige blik een weg
door de verzamelde leerlingen baande en naar hen toe
kwam.

'Hoi Nigel. Kun jij ook niet slapen?' vroeg Shelby toen hij
er was.

'Eh... nee... Luister, ik moet jullie iets vertellen.'

Binnen een paar minuten had Nigel haastig uitgelegd
welke ramp zich in de hydrokoepel voltrok. De twee meisjes staarden hem ongelovig aan.

'Goh, ik weet wel dat sommige mensen hun familienaam
heel graag eer aan willen doen, maar jij slaat werkelijk
alles, Nigel,' zei Shelby met een wrang glimlachje. 'Dus we
staan allemaal op het menu van Frankenbloem. Fantas-

tisch, net nu ik dacht dat de avond niet meer beter kon.'

'Ik snap niet hoe het heeft kunnen gebeuren,' zei Nigel verdrietig. 'Violet was zo klein, ik begrijp niet...'

Hij werd onderbroken door een gil ergens in het atrium. Ze draaiden zich allemaal om om te kijken wat er aan de hand was en zagen sommige mensen naar het plafond wijzen. Laura keek omhoog en zag tientallen dikke groene ranken de grot in kruipen vanaf de plek waar de waterval naar beneden viel. Ze kronkelden in hoog tempo over de rotsen langs de waterval naar de grond. Niemand hoefde tegen de kinderen te zeggen wat ze moesten doen – als één man draaiden ze zich om en renden naar de liften aan de andere kant van het atrium.

'Deze kant op,' zei Shelby terwijl ze Laura en Nigel wegleidde van het gedrang bij de liften en naar de trap liep. Ze sprong met drie treden tegelijk omhoog, met Laura en Nigel op haar hielen.

Ze kwamen op de galerij die naar hun kamers liep en keken omlaag naar het atrium. De deuren van de lift met daarin de laatste groep leerlingen schoven net op het nippertje dicht, vlak voor de glibberende ranken ze hadden bereikt. De doodsbange kinderen schoten omhoog en waren voorlopig weer even veilig. De stekelige tentakels sloegen tegen het glas van de liftschacht, op zoek naar een manier om naar binnen te dringen.

'We zitten hier opgesloten met dat ding,' zei Laura terwijl ze naar de kronkelende groene berg keken die maar bleef groeien en een steeds groter deel van de atriumvloer in beslag nam. 'We kunnen niet veel verder vluchten. We moeten een manier verzinnen om haar tegen te houden.'

Met een daverende klap viel het glas aan een kant van

de liftschacht aan diggelen en de ranken kropen naar binnen.

'Alle suggesties zijn welkom,' antwoordde Shelby grimmig.

Otto deed zijn best om Raaf bij te houden terwijl ze door de gang naar de afdeling Tactiek renden. Ze hadden een paar bewakingsteams gezien die haastig op weg waren naar andere delen van het instituut, maar verder waren de gangen griezelig uitgestorven. Otto probeerde niet naar de geluiden uit de ventilatieroosters te luisteren waar ze langskwamen, maar het was duidelijk dat Violet zich verschrikkelijk snel door H.I.V.E.S. verspreidde.

Ze renden een hoek om en waren nu bij de ingang van de entergrot. Raaf tikte snel een code in in het kastje naast de deuren, die meteen openschoven. Otto sprintte naar het rek met de enterhandschoenen en schoof er vlug twee in zijn rugzak. Raaf keek ongeduldig de grot rond. De plant was nog nergens te zien, maar ze was niet van plan zich te laten verrassen.

'Oké,' zei Otto tegen Raaf. 'Nu naar de Techniekafdeling, maar we moeten eerst een wapenkluis zien te vinden.'

'We komen er onderweg een paar tegen,' antwoordde Raaf terwijl ze de grot weer uit renden. 'Weet je zeker dat je ze kunt aanpassen?'

'Ik hoop het.' Otto klonk niet helemaal overtuigd. 'Maar ik heb wel wat gereedschap uit de Technieklokalen nodig.'

'Daar is de plant gezien, dus we moeten voorzichtig zijn.'

Raaf vloog weer in dezelfde razende vaart als daarvoor door de gangen. Opnieuw had Otto moeite om haar bij te houden. Als ze het monster inderdaad zouden tegenkomen, kon hij maar beter de longen uit zijn lijf rennen.

Op de loopbrug boven de hydrokoepel werd de situatie steeds uitzichtlozer.

'De brandstof voor de vlammenwerpers is bijna op, meneer,' meldde de commandant aan Nero, en hij deed zijn best om zijn stem niet te laten trillen. 'Ik weet niet hoe lang we de loopbrug nog kunnen vrijhouden.'

'We móéten hem vrijhouden, commandant, in elk geval tot Raaf en de jongen terug zijn,' antwoordde Nero. 'Doe uw uiterste best.'

'Ja, meneer.' De commandant snelde terug naar zijn mannen en verspreidde de paar vlammenwerpers die het nog deden over de loopbrug. Nero wist dat de situatie kritiek was, maar ze moesten hier volhouden, wilde het plan van Malpense een kans van slagen hebben.

Plotseling schoot er uit het niets een enorme tentakel omhoog tot boven de loopbrug. Hij was zo dik als een boomstam en zat vol stekelige doornen. De bewaker die het dichtst bij de zwiepende sliert in de buurt stond, vuurde een serie vlammen af, maar het had nauwelijks effect. De tentakel trok zich even terug maar haalde toen weer uit en sloeg de bewaker keihard tegen de rotswand. Daarna begon hij als een bezetene de loopbrug af te tasten, op zoek naar een nieuw slachtoffer.

Wing deinsde achteruit voor de zwaaiende rank. Hij kon zich niet verschuilen op de loopbrug en toen zijn rug de muur raakte, besefte hij dat hij nergens heen kon. Opeens leek de tentakel zijn aanwezigheid te voelen en het ding haalde bliksemsnel naar hem uit.

'Fanchu, liggen!' riep Nero terwijl hij naar de jongen toe rende. Hij wist dat het geen nut had, maar onwillekeurig tilde Wing zijn goede arm op om zich tegen het monster te verdedigen. Nero duwde Wing hard opzij toen de tentakel toesloeg. De meedogenloze doornen schraapten over Nero's borst en gooiden hem een paar meter verder op de loopbrug weer neer.

Wing zag sterretjes en hapte naar adem van de pijn toen hij op zijn gebroken pols terechtkwam. Een paar bewakers renden over de loopbrug naar hem toe en gebruikten het laatste beetje kostbare brandstof in hun vlammenwerpers om de monsterlijke tentakel terug te dringen voor hij nog een keer kon toeslaan. Wing kwam moeizaam overeind en hinkte naar Nero's in elkaar gezakte lichaam. Hij knielde naast de doctor neer en zag tot zijn opluchting dat de man nog ademde, hoewel zijn borst onregelmatig op en neer ging.

Voorzichtig rolde Wing Nero op zijn rug. Hij bloedde hevig, zijn overhemd was opengescheurd en er liepen een paar lange, diepe wonden over zijn borst. Wing zag iets glinsteren en toen hij beter keek, viel zijn mond open van verbazing. Nero droeg een amulet die precies de tegenovergestelde was van zijn eigen ketting, het yin van zijn yang. Duizelig raakte Wing de amulet aan. Geen twijfel mogelijk – hun symbolen vulden elkaar precies aan.

'Een arts, snel!' schreeuwde het hoofd van de beveiliging

toen hij Nero gewond op de loopbrug zag liggen, en Wing werd opzijgeschoven terwijl er allerlei bewakers en dokters om de bewusteloze rector dromden. 'Hij moet meteen naar de ziekenboeg, hij verliest te veel bloed.' De commandant gaf druk allerlei aanwijzingen terwijl de artsen een brancard naast Nero neerlegden.

'De ziekenboeg is afgesloten, meneer. Dat ding gaat als een beest tekeer in de gangen tussen deze grot en de ziekenzaal,' meldde een van de bewakers vlug.

'Dan moeten jullie hem hier zo veel mogelijk helpen,' beval de commandant. Hij keek naar de tentakels die langs de muur naar de loopbrug kropen. Als ze dat ding niet snel tegenhielden, was Nero's leven niet het enige dat in gevaar was.

Otto en Raaf hadden niet de kortste weg naar de Techniek lokalen kunnen nemen. Sommige gangen bleken versperd door kronkelige bergen dodelijke groene ranken. Steeds als ze die zagen moesten ze een andere route kiezen. Gelukkig kenden ze de indeling van de school allebei als hun broekzak. Nu waren ze dan eindelijk vlak bij hun bestemming. Raaf stak haar hoofd om de hoek van de gang die naar het lab liep.

'Volgens mij kan het – kom.' Ze rende de hoek om, naar de deur, en Otto volgde haar op de voet. Hij was helemaal uitgeput door haar genadeloze tempo.

Binnen bleek er ook in het Technieklokaal niemand meer aanwezig. Otto liep door het lab om al het gereedschap te verzamelen dat hij nodig had terwijl Raaf zenuwachtig de gang in de gaten hield.

'Vijf minuutjes,' zei Otto en pakte de stillen uit zijn rugzak die ze onderweg naar het lab hadden opgehaald.

'Drie. Schiet op,' antwoordde Raaf. Ze hoorde het inmiddels overbekende slijmerige geritsel van tentakels die ergens in de buurt rondkropen.

'Het is maar goed dat ik zo goed presteer onder druk,' mompelde Otto tegen zichzelf terwijl hij de buitenkant van de stillen openwrikte. Hij staarde naar het blootgelegde binnenwerk. Het ontwerp was ingewikkelder dan hij had verwacht. Hij pakte een van de stukken gereedschap die hij had klaargelegd en ging zo snel hij kon aan het werk.

In woonblok zeven werd de situatie steeds penibeler. De leerlingen zaten óf in hun kamer, binnengesloten door de tentakels, of ze stonden net als Laura, Shelby en Nigel bij elkaar op de bovenste galerij met angst en beven te kijken hoe de gemuteerde plant langzaam naar hen toe kroop.

'Hoe houden we dat ding tegen, Nigel?' vroeg Shelby. Binnen een minuut zouden de slierten hen bereikt hebben.

'Ik weet het niet,' antwoordde Nigel wanhopig. 'Ze kan niet goed tegen vuur, maar als we dat gebruiken is de kans groot dat we de hele school afbranden. En bovendien zijn dit geen droge takjes; dit is verse, groene aangroei. Dat brandt heel moeilijk.'

'Goed, geen vuur dus. Wat nog meer?' vroeg Laura.

'Kou. Violet is een tropische plant, ze heeft een hekel aan kou,' zei Nigel zwakjes.

Als Laura een stripfiguur was geweest, was er een lampje boven haar hoofd gaan branden. Ze rende naar het brandalarm aan de muur en sloeg met haar elleboog het glas stuk. Ze wist dat het automatische blussysteem niet aan zou gaan nu Brein offline was, maar door haar eerdere gesprekken met Otto wist ze ook dat er voor dat soort gevallen een back-upplan was. Overal op de galerij gleden luiken opzij en daarachter kwamen blusapparaten tevoorschijn.

'Pak een brandblusser, Shelby,' riep Laura terwijl ze er zelf ook een mee griste. Ze rende naar een plek op de galerij waar de eerste tentakels over de balustrade kropen en duwde de hendel van het apparaat omlaag. De zwaaiende tentakels werden in een sneeuwwitte wolk kooldioxide gehuld en trokken zich direct terug, alsof ze zich gebrand hadden. Shelby spoot ook met haar brandblusser naar de oprukkende ranken en verjoeg ze snel van de galerij.

'Brand, je bent briljant!' schreeuwde Shelby enthousiast. Ondertussen zagen andere leerlingen ook waar de twee meisjes mee bezig waren en pakten vlug hun eigen brandblusser van de muur.

Maar Laura wist ook dat dit alleen maar uitstel van executie betekende – zoveel brandblussers waren er nu ook weer niet hier boven, en daar konden ze bovendien niet eeuwig mee doen.

Otto klikte de laatste stille dicht en schoof de wapens terug in zijn rugzak.

'Oké, klaar. We kunnen,' zei Otto terwijl hij door het lokaal naar Raaf toe rende. Ze draaide zich naar hem om en toen hij de uitdrukking op haar gezicht zag, ging er een siddering door zijn lijf.

'Ik vrees dat het wel eens te laat zou kunnen zijn,' zei ze zacht.

Otto keek de gang in en zag dat de enige weg terug naar de hydrocultuurgrot werd versperd door een enorme berg plantententakels. De woeste groene hindernis was maar een paar meter lang, maar het had net zo goed een paar kilometer kunnen zijn.

'Hoe hard kun je rennen?' vroeg Raaf zonder haar blik van de naderende kruipers af te wenden.

'Hard genoeg, vooral als het voor mijn leven is,' fluisterde Otto.

'Blijf dicht achter me. Als ik "rennen" zeg, ga je ervandoor en je kijkt niet achterom. Begrepen?'

Otto knikte.

'Volgens mij moet dat ding hoognodig gesnoeid worden.' Raaf reikte met haar handen achter haar schouders en trok de twee glanzende zwaarden uit de schedes op haar rug. Ze liep kalm en weloverwogen naar de tentakels en Otto volgde haar op een meter afstand. De stekelige ranken leken haar aanwezigheid te voelen en rezen op van de vloer toen ze eraankwam. Raaf bleef met haar getrokken zwaarden naar voren lopen en wachtte op de eerste, onvermijdelijke aanval. Ze hoefde niet lang te wachten – plotseling deden diverse tentakels een uitval naar haar en Otto, blij met dit verse vlees. Raaf reageerde onmiddellijk: haar zwaarden maakten twee razendsnelle bogen door de lucht en hakten keurig alle aanvallende ranken af. De dode uiteinden kwakten met een zompig geluid op de grond. Raaf liep nog verder naar voren en sloeg elke aanval af, maar hoe dichter ze bij de gang kwam die naar de hydrocultuurgrot leidde, hoe sneller de tentakels begonnen te kronkelen. Raafs zwaarden leken wel zilveren flitsen terwijl ze steeds verder hakte. Toen ze nog maar een paar meter te gaan hadden, glipte een van de tientallen tentakels die tegelijkertijd aanvielen langs haar verdediging en sloeg een diepe wond in haar dijbeen. Raaf gromde van de pijn, maar vertraagde geen moment; ze begon zelfs nog sneller met haar messen te zwaaien om een pad voor haar en Otto door de kolkende groene massa uit te houwen. Ze waren al bijna bij de aangrenzende gang, die zo te zien gelukkig nog niet door de plant bezet was. Raaf begon als een bezetene aan één kant te hakken tot het gat eindelijk groot genoeg was om er allebei doorheen te kunnen.

'Rennen!' schreeuwde Raaf. 'Zo hard je kunt! Ik kan ze niet eeuwig tegenhouden.' Haar gezicht en uniform zaten onder de groene sappen die uit de afgehakte tentakels sproeiden, en haar ooit zo glanzende zwaarden dropen van het vieze slijm. Otto wist dat ze geen tijd hadden voor discussie. Hij sprong door het gat dat Raaf had uitgehakt en stoof door de gang. Een paar tentakels kropen achter hem aan.

'Voor hem hoef je niet bang te zijn, voor mij wel!' riep Raaf terwijl ze nog driftiger op de plant insloeg. De tentakels die achter Otto aan gingen aarzelden even en trokken zich toen terug om samen met de rest naar Raaf uit te halen.

Ook al had Raaf gezegd dat het niet mocht, Otto kon het toch niet laten even om te kijken terwijl hij door de gang rende. Hij zag nog net haar donkere gestalte tussen de kronkelende groene slierten terwijl haar zwaarden door de lucht flitsten, maar toen werd de groene muur zo dik dat ze geheel uit beeld verdween.

'Klaar! Mijne is op!' schreeuwde Shelby terwijl ze de lege brandblusser naar de kruipende tentakels gooide. Zij en Laura hadden keihard gevochten om de plant tegen te houden terwijl de laatste leerlingen zich in hun kamers hadden opgesloten, maar het had weinig uitgehaald.

'Doe open!' schreeuwde Laura terwijl ze op de laatste deur van de galerij bonsde. De deur ging op een kiertje open en Nigels doodsbange gezicht verscheen in het gat.

'Zijn ze weg?' piepte hij.

'Nee, maar wij straks wel als jij ons er niet in laat,' zei Laura boos.

'Jeetje, rustig maar,' antwoordde Nigel terwijl hij de deur helemaal opentrok.

'Kom nou, Shelby, we moeten naar binnen!' schreeuwde Laura.

De twee meisjes renden de kamer in en Nigel deed de deur meteen achter hen op slot.

'Waar is Franz?' vroeg Shelby rondkijkend.

'Hij heeft zichzelf opgesloten in de badkamer. Hij wil er niet meer uit komen,' legde Nigel uit.

'En ik vind het ganz niet erg om hier te blijven,' zei Franz op gedempte toon van achter de badkamerdeur.

'Hier zijn we toch veilig, hè?' vroeg Nigel terwijl hij van het ene meisje naar het andere keek.

Er klonk een enorme bonk op de kamerdeur en het dikke metaal stulpte naar binnen.

'Ja joh, tuurlijk. De komende twee minuten wel,' zei Shelby.

Otto rende de loopbrug op en kwam in een enorme chaos terecht. De tentakels vielen van alle kanten aan en twee bewakers probeerden ze met de laatste twee vlammenwerpers die het nog deden op afstand te houden. Nero lag met een wit gezicht tegen de muur met zijn ogen dicht en een bloederig verband om zijn borst. Wing en de commandant zaten op hun hurken naast hem, en toen Otto eraankwam keken ze allebei verbaasd op.

'Otto!' riep Wing grijnzend. 'Gaat alles goed? Waar is Raaf?'

'Ze heeft het niet gehaald,' zei Otto zacht. 'Wat is er met Nero gebeurd?'

'De plant viel ons aan en toen is hij gewond geraakt. Hij moet naar de ziekenboeg, maar dat ding verspert de weg.' Wing gebaarde met zijn hoofd naar de afschuwelijke gemuteerde plant in het midden van de grot, die zichtbaar gegroeid was in de tijd dat Otto was weggeweest. 'Ík zou hier eigenlijk moeten liggen in plaats van hem. Hij probeerde me te beschermen.' Wing keek afwezig – hij was duidelijk erg overstuur door wat er gebeurd was.

'Het moet nu maar eens afgelopen zijn,' zei Otto terwijl hij de enterhandschoenen uit zijn rugzak haalde. 'Hoe dan ook.' Hij klikte de handschoenen vast om zijn polsen en liep snel naar de balustrade van de loopbrug. Toen hij naar de vloer van de grot keek, had hij het gevoel alsof hij de hel zag. De monsterlijke muil van het wezen werd omringd door kolkende bergen ranken, en ze boog zich zo ver mogelijk voorover naar de loopbrug in een poging de verleidelijke hapjes te pakken te krijgen die daar net buiten haar bereik lagen. Als ze in dit tempo doorgroeide zou het niet lang duren voor ze erbij kon.

Otto dwong zichzelf om zijn blik af te wenden en bepaalde de punten in het plafond die hij moest zien te bereiken. Eigenlijk had Raaf dit deel van het plan zullen uitvoeren, maar dat ging helaas niet meer. Hij probeerde niet te denken aan de manier waarop ze zichzelf had opgeofferd om hem te redden. Hij moest zich concentreren op wat hij nu moest doen. Zelfs Wing kon Otto niet helpen – met zijn gewonde pols had hij niets aan een enterhandschoen. Dit moest hij helemaal alleen doen.

'Otto, ik moet je iets vertellen over Nero,' zei Wing dringend.

'Doe dat maar als ik terug ben,' zei Otto terwijl hij zijn rechterarm op het plafond richtte. Wing keek hem aan – hij wilde dolgraag vertellen wat hij had gezien, maar er was geen tijd.

'Succes,' zei Wing zacht en hij legde zijn hand op Otto's schouder.

'Succes maak je zelf,' zei Otto met een geforceerd glimlachje. Hij kneep in de trekker; de dunne draad schoot omhoog en haakte zich stevig vast aan het rotsachtige plafond. Hij haalde diep adem en zwaaide de grot in.

De plant leek de plotselinge beweging te voelen en draaide haar kop naar Otto terwijl hij door de lucht zwierde. Otto wist dat hij de lijn die hem met het plafond verbond lang genoeg moest houden om vaart te maken. In stilte bad hij dat hij buiten het bereik van het monster zou blijven. Terwijl de plantenmuil razendsnel op hem af kwam, concentreerde hij zich op de bogen in de lucht die hij in zijn hoofd voor zich zag. Hij vuurde de tweede handschoen af en liet de eerste los zodra de tweede lijn strak kwam te staan. De plant werd maar heel even in verwarring gebracht door de kleine koerswijziging en de enorme kop schoot vrijwel meteen achter hem aan.

Concentreer je op waar je heen gaat, zei Otto tegen zichzelf, en vooral niet naar beneden kijken. Hij wist het ritme van zijn gezwaai vast te houden en was bijna in het midden van de grot. Hij kon de kop van het monster niet meer zien – hij wist dat die ergens achter hem moest zijn, maar hij had geen idee hoe dichtbij. Hij wisselde weer van lijn en net op dat moment klapten de slijmerige kaken van het monster dicht op de plek waar hij een fractie van een seconde eerder nog in de lucht had gehangen. Hij haalde de lijn iets verder in, in de hoop dat hij dan buiten het bereik van de puntige tanden zou zijn. De kop van het monster bewoog razendsnel en kwam alweer achter hem aan. Otto maakte een wanhopige draai en veranderde net genoeg van richting om de gapende muil opnieuw in de lucht te laten happen. De zijkant van de plantenkop kwam hard tegen hem aan en heel even bungelde Otto gedesoriënteerd onder aan de lijn. Hij vuurde blindelings richting het midden van de grot en hoopte dat de enterlijn ergens aan vast zou haken.

De lijn kwam strak te staan en hij zwaaide weer naar voren. Zijn hele lijf deed pijn van de klap die hij had gekregen toen de kop hem had geschampt.

Otto vuurde opnieuw en de enterhaak vloog naar de stalactieten die in het midden van het plafond hingen. Hij haalde de lijn in en trok zichzelf op naar de enorme natuurlijke rotsformatie, buiten het bereik van de hongerige plantenkaken. Terwijl hij omhoog gleed, draaide hij rond aan de lijn en bekeek de puntige, hangende rotsen, op zoek naar de plek waar hij de verrassing die hij voor het monster in petto had het best kon plaatsen. Hij zag een kleine holte in de rotsen, vlak bij het punt waar de formatie volgens zijn berekeningen het zwakst was. Met de knop op de handschoen haalde hij de lijn nog verder in om dichterbij te komen. Terwijl hij omhoogging, ving hij een glimp op van de loopbrug in de verte en zag tot zijn schrik dat de kruipers die helemaal overwoekerd hadden. Wing en de bewakers hadden zich door de deuropening teruggetrokken in de gang waar Otto een paar minuten geleden nog doorheen was gerend. Hij voelde een rilling langs zijn ruggengraat lopen toen hij besefte dat de uitgang aan de andere kant geblokkeerd was. Wing zat gevangen tussen de tentakels, die zowel vanuit de grot als door de gang op hem af kwamen. Otto duwde de knop van zijn handschoen nog dieper in om de lijn nog sneller binnen te halen. Hij had het gevoel dat hij tergend langzaam omhoogging, maar al na een paar seconden was hij bij de spleet in de rotsen.

Hij hing met één arm aan het plafond en probeerde met zijn andere de stillen uit zijn rugzak te halen. Zorgvuldig legde hij het eerste wapen in de scheur in de rotsen, vurig hopend dat zijn aanpassingen het zouden doen. Vervolgens pakte hij snel de drie overgebleven stillen uit zijn tas en legde ze naast elkaar in het kleine gat. Hij bleef even hangen en keek naar de vier wapens die hij had geplaatst. Zou het genoeg zijn? Daar mocht hij van zichzelf niet aan denken. Als de wijzigingen die hij had aangebracht niet werkten zoals hij had gedacht, was het nu toch te laat om daar nog iets aan te doen. Hij strekte zijn arm uit en haalde de trekker van de eerste stille over. Er gebeurde niets. Hij haalde de trekker nog een keer over – nog steeds niets. Had hij iets over het hoofd gezien? Net toen Otto in paniek begon te raken, hoorde hij een zacht, jammerend geluid dat steeds harder werd. Hij deed het! Snel haalde hij ook de trekkers van de andere drie stillen over en drukte met zijn duim op de knop van de enterhandschoen zodat hij naar beneden zou zakken. Hij wist dat hij hooguit een minuut had om zichzelf in veiligheid te brengen.

Vanuit zijn ooghoeken zag hij iets bewegen en plotseling voelde hij een vernietigende pijn in zijn enkel. Hij keek omlaag en zag een dunne rank die zich steeds strakker om zijn linkervoet wikkelde. Hij hapte naar adem toen de tentakel hem hard aan zijn been richting de gapende plantenmuil twintig meter onder hem begon te trekken. In een poging zijn dodelijke afdaling te stoppen liet hij de knop op de enterhandschoen los, zodat de draad strak kwam te staan. Het mechanisme op de rug van zijn handschoen protesteerde gierend toen de tentakel hem onverbiddelijk omlaag bleef trekken. Otto had het gevoel dat hij doormidden werd gescheurd en hij schreeuwde het uit van pijn. Hij klemde zijn kiezen op elkaar, wees met de enterhandschoen van zijn vrije hand naar beneden en richtte zorgvuldig. Als hij miste zou hij geen tweede kans krijgen. Hij kneep in de trekker en de zilveren haak schoot weg, recht op de slijmerige groene tentakel om zijn been af. De pijl ging dwars door het ding heen en het groene slijm spatte alle kanten op. Meteen voelde hij de greep om zijn enkel verslappen en de tentakel trok zich terug naar de vloer van de grot. Otto drukte snel op de knop om de pijl los te halen en hoopte dat de lijn niet verstrikt zou raken in de zwaaiende ranken onder hem. Hij keek angstvallig toe hoe de lijn omhoogkwam en er ging een golf van opluchting door hem heen toen de pijl weer op zijn plek schoot, bedekt met een dun laagje smaragdgroen plantenbloed. Vervolgens vuurde hij de enterhaak af naar een punt ver weg op het plafond. Met zo'n lange lijn zou hij wel gevaarlijk dicht langs de grond zwaaien, maar hij wist dat hij zo ver mogelijk bij het midden van de grot vandaan moest zien te komen.

Hij haalde de andere enterhaak in en zwaaide duizelingwekkend snel richting de met tentakels bezaaide vloer onder hem. Toen hij over de kronkelende groene massa heen zwierde, kropen sommige tentakels omhoog om naar hem uit te halen. Een paar kregen hem bijna te pakken, maar hij had te veel vaart en ze zwaaiden vergeefs door de lucht terwijl hij voorbijschoot en weer omhoog vloog in de richting van de door ranken overwoekerde loopbrug.

VOEMM!!

Achter hem hadden de stillen alle vier tegelijk hun maximum bereikt. De enorme supersonische schokgolf rolde dwars door het omgekeerde woud van stalactieten en vermorzelde hun eeuwenoude verbinding met het plafond. De plant stootte een laatste krijsend gebrul uit toen tienduizenden tonnen rots toegaven aan de zwaartekracht en naar beneden stortten. Het puin verpletterde het opgezwollen hoofd, sloeg de kwetsbare zenuwblazen tot moes en bedolf het monster voorgoed.

De schokgolf raakte Otto in zijn rug alsof er een neushoorn op hem in beukte – alle lucht werd uit zijn longen geblazen en zijn enterlijn knapte. Heel even vloog hij door de lucht voor hij op de loopbrug werd gegooid, met een kracht die al zijn botten leek te verbrijzelen. Verdoofd bleef hij een paar seconden tussen de stuiptrekkende tentakels liggen, die ongevaarlijk waren geworden nu de plant dood was. Toen draaide hij zich om en dwong zichzelf overeind te komen. Hij keek naar de enorme berg steen die in het midden van de grot lag en deels aan het oog werd onttrokken door de dichte stofwolken die in de lucht hingen.

'Op naar de composthoop, vriend,' mompelde hij in zichzelf, en ondanks zijn zere ribben moest hij grinniken. Zijn hele lichaam protesteerde toen hij moeizaam opstond. Nu de adrenaline langzaam wegebde voelde hij hoeveel pijn hij had – zijn hele lichaam leek wel één grote blauwe plek.

Plotseling zakte de loopbrug scheef. De schokgolf had niet alleen de enorme stalactieten van het plafond gescheurd, maar ook de balken waarmee de loopbrug aan de muur was bevestigd. Hij hoorde het geluid van scheurend metaal en de brug begon langzaam naar beneden te vallen. Otto rende naar de deuropening in de rotswand, maar elke spier in zijn lichaam schreeuwde het uit van pijn. Hij was bijna bij de veilige gang toen de hele loopbrug instortte en met een afgrijselijk geknars loskwam van de muur.

De grond verdween onder zijn voeten en Otto dook naar voren. Hij kwam hard op de rand van de gang terecht en bleef boven de gapende afgrond hangen terwijl zijn gympen wanhopig houvast probeerden te zoeken tegen de ruwe rots. Het lukte niet – hij gleed weg en viel naar beneden, maar kon nog net met zijn vingertoppen de drempel vastgrijpen. Uit alle macht probeerde hij zich omhoog te trekken, maar de afgelopen paar uur hadden te veel van zijn lichaam gevergd en hij voelde zijn greep verslappen. Hij deed zijn ogen dicht. Hij was niet bang, alleen maar boos dat hij zo ver was gekomen en vervolgens helemaal op het eind tekortschoot. Net toen hij voelde dat hij echt ging vallen, klemde een hand zich met een ijzeren greep om zijn pols. Hij keek omhoog.

'Zo makkelijk kom je niet van me af, jochie.' Het gezicht van Raaf, helemaal onder het groene bloed van het monster, keek glimlachend op hem neer.

Hoofdstuk 16

Langzaam deed Laura haar ogen open. De tentakels die net de deur aan stukken hadden geslagen, lagen ongevaarlijk op de grond te stuiptrekken. Ze keek door de kamer naar Nigel en Shelby, die al net zo verbijsterd waren als zij. Behoedzaam stapte ze over de tentakels heen en stak haar hoofd door de kapotte deuropening. Alle tentakels in de grot lagen doodstil; er leek niets meer over van hun eerst nog zo moordlustige neigingen. Shelby en Nigel liepen achter haar aan de galerij op en keken met open mond naar de bergen dode slierten.

'Wat is er gebeurd?' vroeg Shelby zacht terwijl er overal om hen heen nog meer deuren sissend opengleden.

'Een wonder?' antwoordde Laura.

'Ze hebben vast de zenuwbundels verwoest,' zei Nigel zachtjes.

'Ach, wat kan ons het ook schelen,' grijnsde Shelby. 'Als wij het maar niet hoeven op te ruimen.'

Moeizaam zochten ze zich door de dode tentakels heen een weg naar de trap.

In de kamer klonk een klein stemmetje van achter de badkamerdeur. 'Hallo? Hallo? Is daar iemand, ja?'

'Max... Max, hoor je me?' Voorzichtig streelde Raaf over Nero's wang. Hij was nog steeds zorgwekkend bleek. Langzaam gingen zijn ogen open.

'Natalya,' fluisterde hij schor. 'Hoe is het met de school?'

'Het is voorbij, Max. Dat ding is dood en de school is gered.' Ze glimlachte. 'Maar ik vrees dat we een nieuw hydrocultuurcomplex nodig hebben.'

'Goed zo. Ik wist dat het je zou lukken,' antwoordde Nero glimlachend.

'Nou, ik heb het eigenlijk niet zelf gedaan... Ik werd opgehouden. Malpense heeft het gedaan. Hij heeft het plan helemaal in zijn eentje uitgevoerd. Het heeft gewerkt, Max.'

'Malpense?' zei Nero stomverbaasd. 'Waar is hij? Ik wil hem bedanken.'

'Ik haal hem wel even, hij staat daar...' Raafs stem stierf weg.

'Wat is er, Natalya?' vroeg Nero dringend.

Otto en Wing waren verdwenen.

Otto en Wing renden over de ijzeren stellage van het landingsplatform naar de helikopter die klaarstond in de krater. Otto had gehoord hoe Nero opdracht had gegeven de leerlingen te evacueren en hoopte dat de weg naar het platform daardoor vrij zou zijn. Zoals hij al had verwacht waren de bewakers in geen velden of wegen te bekennen: iedereen was te druk met de chaos in de rest van het gebouw. Hij keek omhoog. De krater was open en voor het eerst in maanden zag hij blauwe lucht. Hij vond het een opvallend ontroerend gezicht.

Wing ging plotseling langzamer lopen en bleef halverwege de stellage staan. Hij hield nog steeds zijn gebroken pols vast.

'Toe nou, Wing, dit is onze enige kans. Ik krijg dat ding de lucht in, geloof me nou maar.'

'Otto,' antwoordde Wing met zijn blik naar de grond, 'ik kan hier niet weg.'

Otto staarde zijn vriend verbaasd aan.

'Hoe bedoel je, je kunt hier niet weg? En vannacht dan? Dit is waarschijnlijk onze enige kans.' Otto snapte er niets van. Wat was er met Wing aan de hand?

'Ik wilde het je net ook al vertellen. Het gaat om Nero.'

'Wat is er met Nero?' Otto begon geïrriteerd te raken – hier hadden ze dus echt geen tijd voor.

'Toen hij gewond op de grond lag, heb ik iets gezien. Hij droeg de andere helft van mijn moeders amulet.'

Plotseling begreep Otto waarom Wing zo gekweld keek. 'Maar die was toch kwijt?' vroeg hij zacht.

'Dat was hij ook, tot vandaag. Ik moet weten hoe hij eraan komt... Ik moet weten of hij hem van mijn moeder heeft gestolen.'

'Wing, ik begrijp het, heus, maar dit is misschien wel onze enige kans om van dit eiland af te komen. Is het echt zo belangrijk voor je?'

Wing keek Otto met grote, verdrietige ogen aan. 'Ja... het is echt zo belangrijk voor me. Ik kan niet weg.'

Otto voelde zijn boosheid oplaaien. 'Best. Blijf jij maar lekker hier omdat je een of andere hanger wilt hebben, ik ga.' Hij liep door naar de helikopter.

'Otto, alsjeblieft, je moet me helpen. Je bent een fantastische vriend voor me geweest en ik weet niet of ik het hier wel red in mijn eentje. Ik weet hoe ik mezelf fysiek moet verdedigen, maar mentaal ben ik niet zo sterk als jij. Zonder jou zal het duister hier me verzwelgen, vrees ik.'

Met zijn hand op de deurkruk van de helikopter bleef Otto staan. Hij had nog nooit een vriend als Wing gehad. Hij was altijd te druk bezig geweest om iedereen om hem heen te slim af te zijn, en hij had nooit tijd of zin gehad om zich af te vragen of hij misschien eenzaam was. Maar er was iets veranderd bij hem. Wing had zonder een moment te aarzelen zijn leven voor hem gewaagd, en hij wilde dat nu terugbetalen door hem plompverloren in de steek te laten. Hij dacht aan Laura en Shelby, aan hoe hij hun beloofd had dat hij hen hieruit zou krijgen, weg van H.I.V.E.S. Kon hij iedereen zomaar achterlaten? In zijn hoofd hoorde hij weer wat Nero eerder die dag tegen hem had gezegd.

'Waar wilde je eigenlijk naartoe?' fluisterde Otto tegen zichzelf.

Hij haalde zijn hand van de deurkruk en draaide zich met een scheve glimlach naar Wing om.

'We zullen toch echt iets aan dat gesnurk moeten doen.'

Nero zat aan zijn bureau en bekeek de nieuwste schaderapporten. Het had een paar weken geduurd voor alle resten van Nigel Doemduisters biotechnologieproject in de school waren opgeruimd. Zijn technici hadden hem bovendien laten weten dat de nieuwe hydrokoepel pas over een paar maanden klaar zou zijn. De commandant had hem ook verteld dat er zes bewakers gesneuveld waren in de

strijd tegen het monster. Nero had strikte instructies gegeven dat hun nabestaanden, als ze die hadden, op discrete
wijze alle steun moesten krijgen die H.I.V.E.S. hun kon
bieden. Wonder boven wonder waren er geen leerlingen
ernstig gewond geraakt. Hier en daar een paar gebroken
botten, snijwonden en blauwe plekken, maar verder niets.
Het had veel erger gekund.

Normaal gesproken zou hij de vier leerlingen die geprobeerd hadden te ontsnappen gestraft hebben, maar vanwe-
ge hun heldendaden tijdens de hele situatie had hij het
maar laten zitten. Vooral Malpense had zich uitzonderlijk
moedig gedragen. Die jongen zou het ongetwijfeld nog heel
ver kunnen schoppen, als ze hem de komende zes jaar tenminste op het eiland wisten te houden. Nero had Malpense
kort na het drama naar zijn kantoor laten komen en had
hem bedankt voor de fabelachtige wijze waarop hij de school
had weten te redden. Hij had hem ook verteld dat hij niets
meer over eventuele ontsnappingspogingen wilde horen.

Malpense had hem recht aangekeken en gezegd: 'Maakt
u zich maar geen zorgen, doctor. U zult er niets over
horen.'

Verder moest iedereen die op de hoogte was van de situatie op Nero's bevel strikt geheimhouden dat Nigel Doemduister het monster had gecreëerd dat de school bijna had
verwoest. Een aantal docenten en het hoofd van de beveiliging hadden geëist dat de jongen daarvoor van school zou
worden gestuurd, maar Nero had die verzoeken naast zich
neergelegd. In zijn ogen was bovenal bewezen dat Doemduister over allerlei onaangeboorde kwaliteiten beschikte
– onder de juiste omstandigheden hadden ze de plant misschien zelfs wel kunnen gebruiken. De jongen leek meer
op zijn vader dan hij besefte.

Precies op de doorgegeven tijd sprong het videoscherm aan de muur aan, en zoals gewoonlijk was Nummer Eén volledig in duisternis gehuld. Nero had hem sinds de noodsituatie niet meer gesproken. Wel had hij de rapporten over het incident aan hun anonieme leider doorgestuurd, maar hij had geen idee hoe die zou reageren. Nero had niet erg naar dit gesprek uitgekeken.

'Goedemorgen, Maximiliaan. Ik begrijp dat je een paar interessante weken achter de rug hebt,' zei de donkere gestalte.

'Dat klopt, meneer. Het was een bijzonder vervelende situatie, maar het schoolleven verloopt weer vrijwel normaal.'

'Dat heb ik gelezen in je rapporten. Ik zag ook dat de jonge Malpense deze crisis grotendeels in zijn eentje heeft weten te bezweren.'

Nero wist dat de rapporten die hij had verstuurd in grote lijnen klopten, maar hij vroeg zich af of Nummer Eén wel besefte hoe dicht ze op de rand van de afgrond hadden gestaan.

'Inderdaad, meneer, hij was bijzonder vindingrijk.'

'Evenals bij zijn ontsnappingspoging, valt me op. Denk je dat hij problemen zal gaan geven?'

'Nee, meneer. Ik ben ondertussen wel gewend aan dit soort... begaafde leerlingen, zoals u weet.'

'Juist. Ik hoef je er vast niet aan te herinneren welke gevolgen het zal hebben als je deze jongen door je vingers laat glippen.'

'Nee, meneer. Daar ben ik me van bewust.'

'Mooi. Wees maar blij dat hij niet gewond is geraakt die dag, Nero. Als Malpense doodgaat, gaat hij niet alleen.'

'Nee, meneer. Het valt niet mee om hem constant onopvallend te bewaken, maar we zullen natuurlijk ons uiterste best blijven doen.'

'Dat interesseert me niet, Nero. Er mag hem niets overkomen, klaar.'

'Begrepen.'

'Mooi zo. Heb je nog extra middelen nodig voor de wederopbouw van de beschadigde gedeeltes van het instituut?'

'Nee, Nummer Eén, alles is onder controle.'

'Uitstekend. Je bent bij het B.O.K.S.-topoverleg in Wenen volgende maand.' Het was geen vraag.

'Ja, meneer. Ik was al op de hoogte gesteld.'

'Het wordt een belangrijke vergadering, Nero. Ik moet iets heel belangrijks bespreken met de verzamelde leiders.'

'Ik kijk ernaar uit,' loog Nero.

'Ongetwijfeld, Maximiliaan. Dat was het.'

Het scherm werd donker en Nero slaakte een diepe zucht van opluchting. Nummer Eén was berucht om zijn onvoorspelbaarheid – er waren genoeg mannen die dachten dat ze hem tevreden hadden gesteld, om er vervolgens achter te komen dat hun volgende afspraak in een zeer goed gevuld piranha-aquarium zou plaatsvinden. Het feit dat hij nog steeds leefde, bewees dat zijn baas vertrouwen in hem had. Nero wist dat hij net zo goed zelf ook in die plantenmuil had kunnen springen als Malpense door dat razende gedrocht van Doemduister was verorberd. Hij vond het niet prettig dat hem niets verteld werd over iets waar zijn leven zo overduidelijk van afhing. Hij moest meer te weten zien te komen over die jongen, en snel ook.

Nummer Eén keek hoe Nero's kalme gezicht van zijn eigen videoscherm verdween. Nero kon zijn zenuwen altijd heel goed verbergen, maar Nummer Eén wist dat de directeur van H.I.V.E.S. onzeker was over zijn eigen toekomst na de ramp die zich op de school had voltrokken. Het was goed dat hij zich zorgen maakte – Nummer Eén duldde geen fouten, zelfs niet van zijn beste werknemers. Angst kon een bijzonder effectief hulpmiddel zijn en de leider van B.O.K.S. wist precies hoe hij daar het best gebruik van kon maken.

Glimlachend leunde hij achterover in zijn stoel. Nero was een sluwe, meedogenloze man, maar ook hij had zijn zwakke plekken, en de liefde voor zijn school was een van de voornaamste. Wie zijn voorgeschiedenis kende, zou versteld staan van de zorg waarmee Nero H.I.V.E.S. en zijn leerlingen beschermde. Het leek wel een beetje op zo'n misselijkmakend, mierzoet artikel dat je soms in de krant las over een gevaarlijk roofdier dat voor een nest verstoten jonge poesjes zorgde.

En omdat hij zo beschermend was, moest hij voorzichtig te werk gaan. Hij wist niet zeker of Nero hem trouw zou blijven als hij er ooit achter kwam wat Nummer Eén precies in petto had voor de jonge Malpense. Hij glimlachte weer terwijl hij aan de toekomst dacht die hij voor de jongen had uitgestippeld. Op een dag zouden Nero en de jongen ontdekken wat hij eigenlijk van plan was – het was zelfs van cruciaal belang dat dat zou gebeuren – en op die dag zou Otto Malpense willen dat hij nooit was geboren.